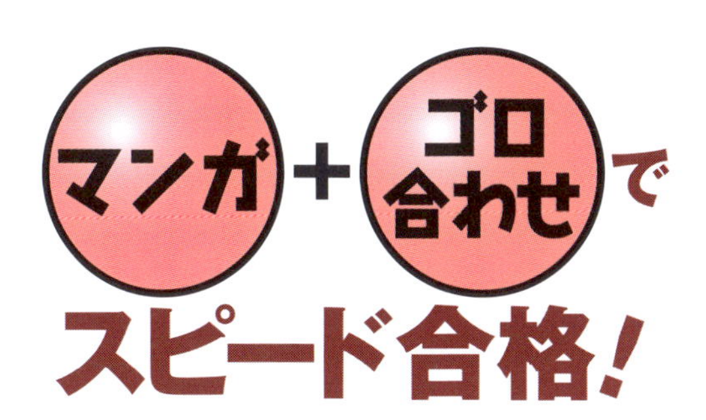

乙種第4類 危険物取扱者

コンデックス情報研究所［編著］

成美堂出版

本書の使い方

本書は、危険物取扱者乙種第４類の試験によく出題される内容を、マンガと図版を中心にまとめました。各章の解説では、導入をマンガでわかりやすく示し、解説は内容が一目でわかるよう、図表とポイントでまとめています。

重要な語句は赤字で示していますので、付属の赤シートを上手に使いましょう。

Lessonのポイント
Lessonで重要となるポイントを示しています。よく読んで、重要な箇所や覚える語句に注意しましょう。

図表で覚えよう！
内容がひと目でわかるよう、図表やイラストを用いて解説しています。

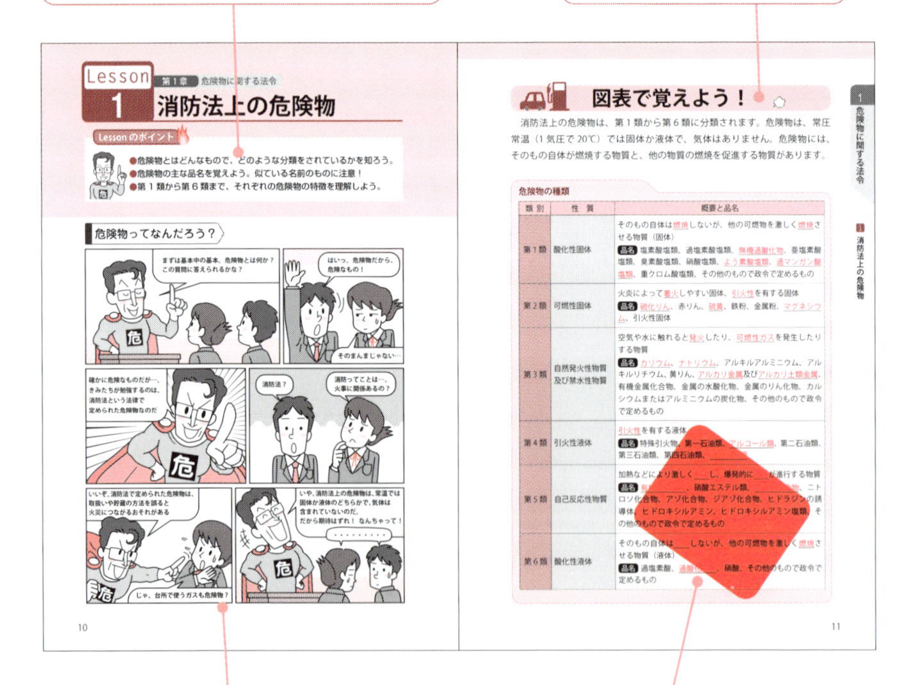

Lesson 1　第1章　危険物に関する法令

消防法上の危険物

Lessonのポイント

- 危険物とはどんなもので、どのような分類をされているかを知ろう。
- 危険物の主な品名を覚えよう。似ている名前のものに注意！
- 第１類から第６類まで、それぞれの危険物の特徴を理解しよう。

危険物ってなんだろう？

10

図表で覚えよう！

消防法上の危険物は、第１類から第６類に分類されます。危険物は、常圧常温（１気圧で20℃）では固体か液体で、気体はありません。危険物には、そのもの自体が燃焼する物質と、他の物質の燃焼を促進する物質があります。

危険物の種類

類別	性質	概要と品名
第１類	酸化性固体	そのもの自体は燃焼しないが、他の可燃物を激しく燃焼させる物質（固体） 品名 塩素酸塩類、過塩素酸塩類、無機過酸化物、亜塩素酸塩類、臭素酸塩類、硝酸塩類、よう素酸塩類、過マンガン酸塩類、重クロム酸塩類、その他のもので政令で定めるもの
第２類	可燃性固体	火炎によって着火しやすい固体、引火性を有する固体 品名 硫化りん、赤りん、硫黄、鉄粉、金属粉、マグネシウム、引火性固体
第３類	自然発火性物質及び禁水性物質	空気や水に触れると発火したり、可燃性ガスを発生したりする物質 品名 カリウム、ナトリウム、アルキルアルミニウム、アルキルリチウム、黄りん、アルカリ金属及びアルカリ土類金属、有機金属化合物、金属の水酸化物、金属のりん化物、カルシウムまたはアルミニウムの炭化物、その他のもので政令で定めるもの
第４類	引火性液体	引火性を有する液体 品名 特殊引火物、第一石油類、アルコール類、第二石油類、第三石油類、第四石油類、[illegible]
第５類	自己反応性物質	加熱などにより激しく[illegible]し、爆発的に[illegible]が進行する物質 品名 [illegible]、硝酸エステル類、[illegible]、ニトロソ化合物、アゾ化合物、ジアゾ化合物、ヒドラジンの誘導体、ヒドロキシルアミン、ヒドロキシルアミン塩類、その他のもので政令で定めるもの
第６類	酸化性液体	そのもの自体は[illegible]しないが、他の可燃物を激しく燃焼させる物質（液体） 品名 過塩素酸、[illegible]、硝酸、その他のもので政令で定めるもの

1 危険物に関する法令　1 消防法上の危険物

11

導入マンガ
Lessonでどのようなことを学ぶのか、導入となるマンガです。先生・生徒と一緒に、危険物について学んでいきましょう。

重要語句
重要な語句を赤字にしています。赤シートを使って語句を隠しながら読み、覚えていきましょう。

登場人物紹介

先生（Mr. 危険物）

「危険物」のスペシャリスト。オヤジギャグを言うのがたまにきず。

生徒（けんじ）

ゆうこと危険物取扱者の資格取得を目指す。暗記は苦手だが化学や物理が得意。

生徒（ゆうこ）

勉強熱心で理解力が高い。得意なことになると饒舌になる一面をもつ。

先生・生徒からのアドバイス
先生や生徒のセリフにも注目。気をつけるポイントを教えてくれます。

試験に出るポイントはここだ！
試験に出やすい内容をまとめました。ポイントを覚えたあと、解説をよく読み、理解度を深めましょう。

試験に出るポイントはここだ！

ポイント 1 危険物は、消防法により定められた物品

危険物とは、消防法別表第一の品名欄に掲げる物品で、同表に定める区分に応じ、同表の性質欄に掲げる性状を有するものをいう。

ポイント 2 危険物は 1 気圧・温度 20℃で、固体または液体の状態

消防法上の危険物は、常圧（1 気圧）、常温（20℃）において、固体または液体の状態にある。気体であるものは危険物に含まれない。

ポイント 3 危険物は、第 1 類から第 6 類に区分

危険物は、酸化性固体、可燃性固体、自然発火性物質及び禁水性物質、引火性液体、自己反応性物質、酸化性液体に区分されている。

ポイント 4 第 4 類危険物は引火性液体

第 4 類危険物は引火性を有する液体で、特殊引火物、第一石油類、アルコール類、第二石油類、第三石油類、第四石油類、動植物油類などがある。

ポイント 5 引火性液体の蒸気比重は 1 よりも大きい

引火性液体の蒸気比重は 1 よりも大きく、蒸気は低所に滞留する。電気の不導体であるものが多く、静電気を蓄積しやすいという特徴をもつ。

第 1 類から第 6 類までの分類は、危険物の性質によるもので、危険性の高さの順番ではないよ。

12

ポイント 6 特殊引火物はジエチルエーテル、二硫化炭素など

特殊引火物とは、1 気圧において、発火点が 100℃以下のもの、または引火点が − 20℃以下で沸点が 40℃以下のものをいう。

ポイント 7 第一石油類はアセトン、ガソリンなど、第二石油類は灯油、軽油など

第一石油類とは、1 気圧において、引火点が 21℃未満のものをいう。第二石油類とは、1 気圧において、引火点が 21℃以上 70℃未満のものをいう。

ポイント 8 アルコール類はメタノール、エタノールなど

アルコール類とは、1 分子を構成する炭素原子の数が 1 個から 3 個までの飽和一価アルコール（変性アルコールを含む）をいい、その含有量が 60%未満の水溶液を除く。

ポイント 9 第三石油類は重油など、第四石油類はギヤー油など

第三石油類とは、1 気圧において、引火点が 70℃以上 200℃未満のものをいう。第四石油類とは、1 気圧において、引火点が 200℃以上 250℃未満のものをいう。

ゴロ合わせで覚えよう！

消防法上の危険物

危険なので、（危険物）
二重のドアを（20）（℃）
固く閉めておきたい（固体）（液体）

危険物は、1 気圧において、温度 20℃で固体、または液体の状態にある。

1 危険物に関する法令 1 消防法上の危険物

13

ゴロ合わせで覚えよう！
重要箇所をゴロ合わせにしました。イラストといっしょに覚えることで、試験でも思い出しやすくなります。

本書は原則として、2024 年 4 月現在の情報に基づいて編集しています。

マンガ＋ゴロ合わせでスピード合格！ 乙種第４類危険物取扱者

CONTENTS

第1章 危険物に関する法令

第2章 基礎的な物理学及び基礎的な化学

第3章 危険物の性質並びにその火災予防及び消火の方法

危険物取扱者 試験ガイダンス

1. 危険物取扱者の資格と役割

◆危険物取扱者の資格

危険物取扱者は消防法に基づく国家資格です。資格の種類には、甲種、乙種第１類～第６類、丙種があり、本書では乙種第４類を取り扱います。

◆危険物取扱者の役割

一定数量以上の危険物を貯蔵し、又は取り扱う化学工場、ガソリンスタンド、タンクローリー等の施設には、危険物を取り扱うために必ず危険物取扱者を置かなければいけません。危険物取扱者は、資格の種類によって取り扱うことができる危険物について、取扱いと定期点検、保安の監督を行う、重要な役割を担っています。

2. 乙種危険物取扱者が取扱い可能な危険物

免状の種類		取扱いのできる危険物
乙種	第１類	塩素酸塩類、過塩素酸塩類、無機過酸化物、亜塩素酸塩類、臭素酸塩類、硝酸塩類、よう素酸塩類、過マンガン酸塩類、重クロム酸塩類などの酸化性固体
	第２類	硫化りん、赤りん、硫黄、鉄粉、金属粉、マグネシウム、引火性固体などの可燃性固体
	第３類	カリウム、ナトリウム、アルキルアルミニウム、アルキルリチウム、黄りんなどの自然発火性物質及び禁水性物質
	第４類	ガソリン、アルコール類、灯油、軽油、重油、動植物油類などの引火性液体
	第５類	有機過酸化物、硝酸エステル類、ニトロ化合物、アゾ化合物、ヒドロキシルアミンなどの自己反応性物質
	第６類	過塩素酸、過酸化水素、硝酸、ハロゲン間化合物などの酸化性液体

※本書では乙種第４類を取り扱います。

乙種第４類危険物取扱者が取り扱うことができる危険物は、第４類危険物（ガソリン、アルコール類、灯油、軽油、重油、動植物油類など）の引火性液体です。

3. 乙種第４類危険物取扱者の資格を取る

◆**受験資格**：誰でも受験可能

◆**試験方法**：マーク・カードを使う筆記試験（5 肢択一式）

◆**試験時間**：2 時間

◆**試験科目**：①危険物に関する法令（15 問）
②基礎的な物理学及び基礎的な化学（10 問）
③危険物の性質並びにその火災予防及び消火の方法（10 問）

◆**合格基準**：試験科目ごとの成績が、それぞれ 60%以上の者

◆**受験の手続き**

・**受験地**：現住所・勤務地にかかわらず希望する都道府県において受験可能
・**試験日程**：都道府県ごとに異なる
・**願書、受験案内の入手先**
各道府県：（一財）消防試験研究センター各道府県支部及び関係機関・各消防本部
東京都：（一財）消防試験研究センター本部・中央試験センター・都内の各消防署

※試験に関する情報は変わることがありますので、受験する場合には、事前に必ずご自身で試験実施機関などの発表する最新情報をご確認ください。
なお、試験に関する詳細な情報は、試験実施機関の HP 等でご確認ください。

一般財団法人 消防試験研究センター
〒 100-0013 千代田区霞が関 1-4-2 大同生命霞が関ビル 19 階
（TEL）03-3597-0220
（FAX）03-5511-2751
（HP アドレス）https://www.shoubo-shiken.or.jp/

マンガ+ゴロ合わせでスピード合格！ 乙種第４類危険物取扱者

危険物に関する法令

第１章では、危険物とはどんなもので、法令ではどのように定義されているかを勉強します。危険物に関する知識を身につけるための土台となることですので、はじめて知る語句でも、あやふやにせず、しっかり覚えましょう。どんなものかイメージしながら読むことで、深く理解することができます。

法令といっても、条文を丸暗記する必要はないよ。聞いたことがある用語はあるかな？

給油取扱所ってガソリンスタンドのことかな。名前から想像できるものもあるね。

Lesson 1 第1章 危険物に関する法令

消防法上の危険物

Lessonのポイント

- 危険物とはどんなもので、どのような分類をされているかを知ろう。
- 危険物の主な品名を覚えよう。似ている名前のものに注意！
- 第１類から第６類まで、それぞれの危険物の特徴を理解しよう。

危険物ってなんだろう？

図表で覚えよう！

消防法上の危険物は、第１類から第６類に分類されます。危険物は、常圧常温（1 気圧で 20℃）では固体か液体で、気体はありません。危険物には、そのもの自体が燃焼する物質と、他の物質の燃焼を促進する物質があります。

危険物の種類

類別	性質	概要と品名
第１類	酸化性固体	そのもの自体は燃焼しないが、他の可燃物を激しく燃焼させる物質（固体） **品名** 塩素酸塩類、過塩素酸塩類、無機過酸化物、亜塩素酸塩類、臭素酸塩類、硝酸塩類、よう素酸塩類、過マンガン酸塩類、重クロム酸塩類、その他のもので政令で定めるもの
第２類	可燃性固体	火炎によって着火しやすい固体、引火性を有する固体 **品名** 硫化りん、赤りん、硫黄、鉄粉、金属粉、マグネシウム、引火性固体
第３類	自然発火性物質及び禁水性物質	空気や水に触れると発火したり、可燃性ガスを発生したりする物質 **品名** カリウム、ナトリウム、アルキルアルミニウム、アルキルリチウム、黄りん、アルカリ金属及びアルカリ土類金属、有機金属化合物、金属の水酸化物、金属のりん化物、カルシウムまたはアルミニウムの炭化物、その他のもので政令で定めるもの
第４類	引火性液体	引火性を有する液体 **品名** 特殊引火物、第一石油類、アルコール類、第二石油類、第三石油類、第四石油類、動植物油類
第５類	自己反応性物質	加熱などにより激しく反応し、爆発的に反応が進行する物質 **品名** 有機過酸化物、硝酸エステル類、ニトロ化合物、ニトロソ化合物、アゾ化合物、ジアゾ化合物、ヒドラジンの誘導体、ヒドロキシルアミン、ヒドロキシルアミン塩類、その他のもので政令で定めるもの
第６類	酸化性液体	そのもの自体は燃焼しないが、他の可燃物を激しく燃焼させる物質（液体） **品名** 過塩素酸、過酸化水素、硝酸、その他のもので政令で定めるもの

試験に出るポイントはここだ！

ポイント 1　危険物は、消防法により定められた物品

危険物とは、消防法別表第一の品名欄に掲げる物品で、同表に定める区分に応じ、同表の性質欄に掲げる性状を有するものをいう。

ポイント 2　危険物は1気圧・温度20℃で、固体または液体の状態

消防法上の危険物は、常圧（1気圧）、常温（20℃）において、固体または液体の状態にある。気体であるものは危険物に含まれない。

ポイント 3　危険物は、第1類から第6類に区分

危険物は、酸化性固体、可燃性固体、自然発火性物質及び禁水性物質、引火性液体、自己反応性物質、酸化性液体に区分されている。

ポイント 4　第4類危険物は引火性液体

第4類危険物は引火性を有する液体で、特殊引火物、第一石油類、アルコール類、第二石油類、第三石油類、第四石油類、動植物油類などがある。

ポイント 5　引火性液体の蒸気比重は1よりも大きい

引火性液体の蒸気比重は1よりも大きく、蒸気は低所に滞留する。電気の不導体であるものが多く、静電気を蓄積しやすいという特徴をもつ。

第1類から第6類までの分類は、危険物の性質によるもので、危険性の高さの順番ではないよ。

ポイント 6 **特殊引火物はジエチルエーテル、二硫化炭素など**

特殊引火物とは、1気圧において、発火点が100℃以下のもの、または引火点が－20℃以下で沸点が40℃以下のものをいう。

ポイント 7 **第一石油類はアセトン、ガソリンなど、第二石油類は灯油、軽油など**

第一石油類とは、1気圧において、引火点が21℃未満のものをいう。第二石油類とは、1気圧において、引火点が21℃以上70℃未満のものをいう。

ポイント 8 **アルコール類はメタノール、エタノールなど**

アルコール類とは、1分子を構成する炭素原子の数が1個から3個までの飽和一価アルコール（変性アルコールを含む）をいい、その含有量が60%未満の水溶液を除く。

ポイント 9 **第三石油類は重油など、第四石油類はギヤー油など**

第三石油類とは、1気圧において、引火点が70℃以上200℃未満のものをいう。
第四石油類とは、1気圧において、引火点が200℃以上250℃未満のものをいう。

ゴロ合わせで覚えよう！

消防法上の危険物

危険なので、
（危険物）

二重のドアを
（20）（℃）

固く閉めておきたい
（固体）（液体）

危険物は、1気圧において、温度20℃で固体、または液体の状態にある。

Lesson 2

第1章 危険物に関する法令

指定数量

Lessonのポイント

- 指定数量は、それぞれの危険物ごとに定められているよ。
- 危険物の量を指定数量で割った値を、指定数量の倍数というんだ。
- 危険物の仮貯蔵・仮取扱いの期間は10日以内！

指定数量とは？

図表で覚えよう！

指定数量は、それぞれの危険物ごとに定められています。指定数量以上の危険物の貯蔵・取扱いは、消防法による規制の対象になります。また、貯蔵・取扱いを行う危険物の量を指定数量で割った値を、指定数量の倍数といい、倍数が大きくなると規制もきびしくなります。

第4類危険物の指定数量

品名		物品名	指定数量
特殊引火物		ジエチルエーテル、二硫化炭素、アセトアルデヒド、酸化プロピレンなど	50L
第一石油類	非水溶性液体	ガソリン、ベンゼン、トルエンなど	200L
	水溶性液体	アセトンなど	400L
アルコール類		メタノール、エタノール、n-プロピルアルコール（1-プロパノール）、イソプロピルアルコール（2-プロパノール）など	400L
第二石油類	非水溶性液体	灯油、軽油、キシレン、クロロベンゼンなど	1000L
	水溶性液体	酢酸、アクリル酸など	2000L
第三石油類	非水溶性液体	重油、クレオソート油、アニリン、ニトロベンゼンなど	2000L
	水溶性液体	グリセリンなど	4000L
第四石油類		ギヤー油、シリンダー油など	6000L
動植物油類		ツバキ油、オリーブ油、ヒマシ油、ゴマ油、ナタネ油、綿実油、アマニ油、キリ油など	10000L

指定数量の倍数は、次の式で求められるよ。
貯蔵・取扱いを行う危険物の量 ÷ その危険物の指定数量 ＝ 倍数

試験に出るポイントはここだ！

ポイント 1 指定数量は、危険物ごとに定められている

指定数量は、消防法において危険物を規制する際の基準になる量で、それぞれの危険物ごとに定められている。

ポイント 2 同じ類の危険物でも、指定数量が異なるものがある

第4類危険物の中にも、指定数量が50Lのもの（特殊引火物）から10000Lのもの（動植物油類）まである。

ポイント 3 同じ品名の危険物でも、指定数量が異なる場合がある

第4類危険物で、品名が「第一石油類」であるものの指定数量は、その危険物が水溶性であるか、非水溶性であるかによって異なる（p.15の表参照）。「第二石油類」「第三石油類」も同様である。

ポイント 4 指定数量の倍数は、貯蔵し、または取り扱う危険物の量を指定数量で割った値

指定数量の倍数によって、貯蔵・取扱いに関する基準が異なる場合がある。

灯油の指定数量は1000Lだから、
2500Lの灯油を取り扱う場合、
指定数量の倍数は、
2500 ÷ 1000 = 2.5（倍）
と計算するんだ。

ポイント 5 2以上の危険物の指定数量の倍数は、それぞれの危険物の量をそれぞれの指定数量で割った値の合計

メタノール1000L（指定数量400L）、ガソリン2000L（指定数量200L）を同一の場所に貯蔵する場合、指定数量の倍数は、
（1000 ÷ 400）＋（2000 ÷ 200）＝ 2.5 ＋ 10 ＝ 12.5（倍）

ポイント 6 指定数量以上の危険物を、製造所等以外の場所で貯蔵し、または取り扱うことはできない

製造所等とは、製造所・貯蔵所・取扱所をさす（p.18 参照）。

ポイント 7 指定数量以上の危険物を貯蔵し、または取り扱う場合は、製造所等を設置しなければならない

製造所等を設置するには、市町村長等の許可が必要である（p.25 参照）。

ポイント 8 指定数量以上の危険物の仮貯蔵、仮取扱いには、所轄消防長、または消防署長の承認が必要

所轄消防長、または消防署長の承認を受けた場合は、10 日以内の期間に限り、指定数量以上の危険物を、製造所等以外の場所で仮に貯蔵し、または取り扱うことができる。

ポイント 9 指定数量未満の危険物の貯蔵・取扱いについて定めるのは、各市町村の火災予防条例

指定数量未満の危険物は、消防法による規制の対象にはならないが、各市町村の条例により規制を受ける場合がある。

ゴロ合わせで覚えよう！

危険物の仮貯蔵・仮取扱い

草ぼうぼうのショボい庭、
（消防長、または消防署長）

刈り取りますから
（仮取扱い）

どうか見ないで！
（10 日）　（以内）

所轄消防長または消防署長の承認を受けて 10 日以内の期間に限り、指定数量以上の危険物を、製造所等以外で仮に貯蔵し、または取り扱うことができる。

Lesson 3 第1章 危険物に関する法令

製造所等の区分

Lessonのポイント

- 製造所等とは、製造所、貯蔵所、取扱所のこと！
- 製造所等が、具体的にはどんなものかイメージできるようにしよう。
- 屋外取扱所で貯蔵・取扱いできる危険物を覚えよう。

製造所等とは？

図表で覚えよう！

危険物の貯蔵や取扱いを行う施設は、製造所、貯蔵所、取扱所の 3 つに区分されます。この 3 つをまとめてよぶ場合は、製造所等といいます。貯蔵所、取扱所は、さらに下表のように区分されています。

製造所等の区分

区分		内容
製造所		危険物を製造する施設
貯蔵所	屋内貯蔵所	屋内の場所において危険物を貯蔵し、または取り扱う施設
	屋外タンク貯蔵所	屋外にあるタンクにおいて危険物を貯蔵し、または取り扱う施設
	屋内タンク貯蔵所	屋内にあるタンクにおいて危険物を貯蔵し、または取り扱う施設
	地下タンク貯蔵所	地盤面下に埋没されているタンクにおいて危険物を貯蔵し、または取り扱う施設
	簡易タンク貯蔵所	簡易タンクにおいて危険物を貯蔵し、または取り扱う施設
	移動タンク貯蔵所	車両に固定されたタンクにおいて危険物を貯蔵し、または取り扱う施設
	屋外貯蔵所	屋外の場所において危険物を貯蔵し、または取り扱う施設 ※ 1
取扱所	給油取扱所	専ら、給油設備によって自動車等の燃料タンクに直接給油するため危険物を取り扱う施設
	販売取扱所	店舗において容器入りのままで販売するため危険物を取り扱う施設　※ 2
	移送取扱所	配管及びポンプ並びにこれらに附属する設備によって危険物を移送する施設
	一般取扱所	給油取扱所・販売取扱所・移送取扱所以外で、危険物を取り扱う施設

※ 1　屋外貯蔵所で貯蔵できる危険物は、第 2 類の一部と第 4 類の一部に限定されている（p.21 参照）。

※ 2　第一種販売取扱所と第二種販売取扱所がある（p.22 参照）。

貯蔵所だけで 7 種類もあるんだね。
取扱所は 4 種類か。

試験に出るポイントはここだ！

ポイント 1 屋内貯蔵所は、危険物を貯蔵する倉庫

屋内貯蔵所は、屋内の場所において危険物を貯蔵し、または取り扱う施設である。

ポイント 2 屋外タンク貯蔵所は、屋外に設置されたタンクに液体の危険物を大量に貯蔵する施設

屋外タンク貯蔵所は、屋外にあるタンクにおいて液体の危険物を大量に貯蔵するために用いられる。

ポイント 3 屋内タンク貯蔵所は、屋内に設置されたタンクに液体の危険物を貯蔵する施設

屋内タンク貯蔵所は、屋内にあるタンクにおいて液体の危険物を貯蔵するために用いられる。

ポイント 4 地下タンク貯蔵所は、地盤面下に埋没されているタンクに危険物を貯蔵する施設

地下タンク貯蔵所は、地盤面下に埋没されているタンクにおいて液体の危険物を貯蔵し、または取り扱う施設である。

地下タンク貯蔵所には、地下に直接タンクを埋設するもの、タンクをコンクリートで被覆して地下に埋設するもの、地下に設けられたタンク室にタンクを設置するものがあるよ。

ポイント 5 簡易タンク貯蔵所は、簡易タンクで危険物を貯蔵し、または取り扱う施設

簡易タンクの容量は 1 基につき 600L 以下とされている。

ポイント 6 移動タンク貯蔵所は、タンクローリー

移動タンク貯蔵所は、車両に固定されたタンクにおいて危険物を貯蔵し、または取り扱う施設である。

ポイント 7 屋外貯蔵所で貯蔵し、または取り扱うことのできる危険物は限定されている

屋外貯蔵所で貯蔵し、または取り扱うことのできる危険物は、第 2 類危険物の一部と、第 4 類危険物の一部に限定されている。

ポイント 8 屋外貯蔵所で貯蔵し、または取り扱うことのできる第 2 類危険物は、硫黄、引火性固体

第 2 類危険物のうち、屋外貯蔵所で貯蔵し、または取り扱うことのできる危険物は、①硫黄、②硫黄のみを含有するもの、③引火性固体（引火点が 0℃以上のもの）である。

ポイント 9 第 4 類危険物の特殊引火物と引火点 0℃未満の第一石油類は、屋外貯蔵所で貯蔵・取扱いできない

屋外貯蔵所で貯蔵し、または取り扱うことのできる第 4 類危険物は、①第一石油類（引火点が 0℃以上のもの）、②アルコール類、③第二石油類、④第三石油類、⑤第四石油類、⑥動植物油類である。

ポイント 10 ジエチルエーテル、二硫化炭素、アセトン、ガソリンなどは、屋外貯蔵所で貯蔵・取扱いできない

ジエチルエーテル、二硫化炭素は第 4 類の特殊引火物、アセトン、ガソリンは第 4 類の第一石油類のうち引火点が 0℃未満のもので、いずれも屋外貯蔵所で貯蔵し、または取り扱うことはできない。

ポイント 11 給油取扱所は、ガソリンスタンド

給油取扱所は、専ら、給油設備によって自動車等の燃料タンクに直接給油するため危険物を取り扱う施設である。いわゆるガソリンスタンドのことである。

ポイント 12 販売取扱所には、第一種販売取扱所と第二種販売取扱所がある

販売取扱所は、店舗において容器入りのままで販売するため危険物を取り扱う施設である。第一種販売取扱所は、指定数量の倍数が 15 以下、第二種販売取扱所は、指定数量の倍数が 15 を超え 40 以下の販売取扱所である。

ポイント 13 移送取扱所は、パイプライン

移送取扱所は、配管及びポンプ並びにこれらに附属する設備によって危険物を移送する施設である。主に、石油を移送するパイプラインのことである。

ポイント 14 一般取扱所とは、給油取扱所、販売取扱所、移送取扱所以外の取扱所

一般取扱所には、塗装その他の作業のために危険物を使用する作業所や、危険物を燃料として消費するボイラー等の設備を使用する施設などが含まれる。

ゴロ合わせで覚えよう!

屋外貯蔵所で貯蔵・取扱いのできる第 4 類危険物

僕、アウトドア派だよん！
（屋外貯蔵所）（第 4 類）

動物、植物、大好きさ。
（動植物油類）

歩こう、0、1、2、3、4 ！
（アルコール類）（0℃以上・第一）（第二）（第三）（第四）

屋外貯蔵所で貯蔵・取扱いできる第 4 類危険物は、引火点 0℃以上の第一石油類、アルコール類、第二石油類、第三石油類、第四石油類、動植物油類。

Lesson 4 第1章 危険物に関する法令

製造所等の設置・変更許可／完成検査／仮使用

Lessonのポイント

- 製造所等を設置、または変更する場合に必要な手続きを覚えよう。
- 製造所等の設置場所により、設置・変更の許可権者が違うよ！
- 製造所等は、完成検査を受けなければ使用できないんだ。

市町村長等とは？

図表で覚えよう！

製造所等を新たに設置しようとする者、また、すでに使用している製造所等の位置、構造、または設備を変更しようとする者は、市町村長等に申請し、許可を受けなければなりません。

製造所等の設置場所と許可権者

	設置場所	許可権者
製造所等 （移送取扱所以外）	消防本部及び消防署を置いている 市町村の区域	その区域を管轄する 市町村長
	消防本部及び消防署を置いていない 市町村の区域	その区域を管轄する 都道府県知事
移送取扱所	消防本部及び消防署を置いている 1つの市町村の区域	その区域を管轄する 市町村長
	消防本部及び消防署を置いていない 市町村の区域	その区域を管轄する 都道府県知事
	2つ以上の市町村の区域にまたがっている 場合	
	2つ以上の都道府県の区域にまたがっている 場合	総務大臣

許可申請から使用開始までの流れ

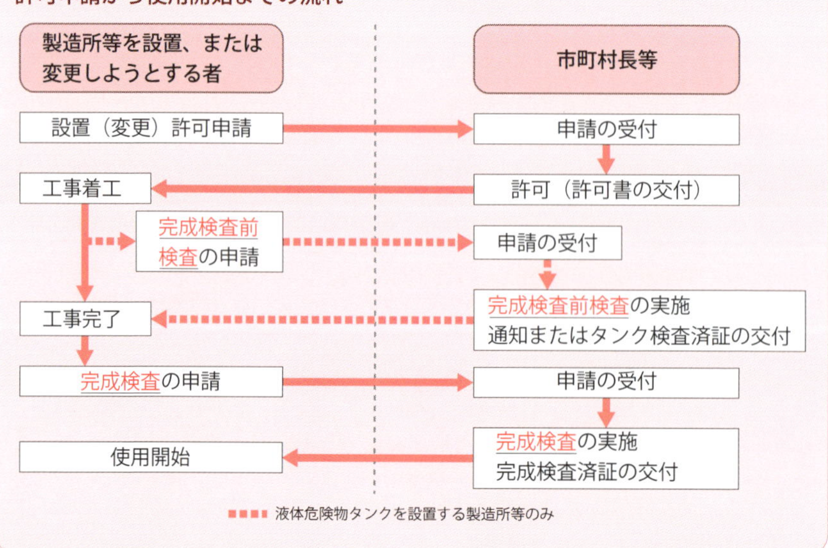

試験に出るポイントはここだ！

ポイント 1 製造所等を設置しようとする者は、市町村長等の許可を受けなければならない

製造所等を設置しようとする者は、市町村長等に申請し、許可を受けなければならない。許可を受けるまでは、工事に着工してはならない。

ポイント 2 製造所等を変更しようとする者は、市町村長等の許可を受けなければならない

製造所等を設置しようとする場合と同様に、市町村長等の許可を受けなければならない。

ポイント 3 消防本部・消防署を置く市町村では、製造所等の設置・変更の許可を与えるのは市町村長

なお、消防本部・消防署を置かない市町村では、製造所等の設置・変更の許可を与えるのは都道府県知事である。

p.24の表のように、製造所等を設置する場所によって、それぞれ許可権者がきまっているのだが、それらの許可権者をまとめてよぶ場合は、省略して「市町村長等」というんだ。

「等」といっても、誰でもいいわけではないんだね。当たり前か…。

ポイント 4 消防本部・消防署を置く1つの市町村に設置される移送取扱所の設置・変更の許可権者は市町村長

なお、消防本部・消防署を置かない市町村に設置される移送取扱所の設置・変更の許可権者は都道府県知事である。

ポイント 5　2つ以上の市町村にまたがる移送取扱所の設置・変更の許可を与えるのは都道府県知事

なお、2つ以上の都道府県にまたがる移送取扱所の設置・変更の許可を与えるのは総務大臣である。

移送取扱所は大規模な施設だから、設置場所が2つ以上の市町村や都道府県にまたがることもあるのね。

そういうこと！ だから、それぞれの場合について許可権者が定められているんだ。

ポイント 6　製造所等の設置・変更のための工事は、許可書の交付を受けてから着工する

製造所等の設置・変更をしようとする者は、市町村長等に申請し、許可書が交付されてはじめて工事に着工できる。

ポイント 7　製造所等の設置・変更の許可を受けた者は、工事が完了した時点で完成検査を受ける

工事完了後に、市町村長等が行う完成検査を受け、技術上の基準に適合していると認められた後でなければ、製造所等を使用してはならない。

ポイント 8　製造所等の変更の工事を行う部分以外の部分を仮使用する場合は、市町村長等の承認を受ける

市町村長等の承認を受けたときは、変更の工事の完成検査を受ける前においても、その部分を仮に使用できる。

工事が終わるまで製造所等全体が使用できなくなるのは困るから、工事に関係しない部分は、承認を受けて仮使用するんだね。

ポイント 9 液体の危険物を貯蔵し、または取り扱うタンクを設置・変更する場合は、完成検査前検査が必要

液体の危険物を貯蔵し、または取り扱うタンク（以下、液体危険物タンクとする）を設置、または変更する場合は、製造所等全体の完成検査を受ける前に、市町村長等が行う完成検査前検査を受けなければならない。

ポイント 10 完成検査前検査には、水張（水圧）検査、基礎・地盤検査、溶接部検査の3つがある

ただし、基礎・地盤検査と溶接部検査は、容量1000kL以上の液体の危険物を貯蔵する屋外貯蔵タンクに限られる。

ポイント 11 液体危険物タンクを有しない製造所等を設置・変更する場合は、完成検査前検査の対象とならない

屋内貯蔵所、屋外貯蔵所は、液体危険物タンクを有しないので、完成検査前検査の対象とはならない。

製造所、一般取扱所においては、容量が指定数量未満の液体危険物タンクは、完成検査前検査の対象から除外されているよ。

重要用語を覚えよう！

仮使用

仮使用とは、
工事中の製造所等のうち、
工事に関係しない部分を
仮に使用することである。

仮使用には市町村長等の承認が必要。期間は、工事が完了するまでの間。

Lesson 第1章 危険物に関する法令

Lesson 5 各種届出手続き

Lessonのポイント

- 消防法により、届出が必要とされているのはどんな場合だろうか？
- それぞれの手続きについて、届出の時期や、届出先を覚えよう。
- 許可、認可、承認と、届出との違いを知ろう。

届出が必要な場合

図表で覚えよう！

消防法では、危険物に関係するさまざまな行政上の手続きについて定めています。行政上の手続きには、許可、認可、承認、届出などがありますが、そのうち、行政機関への届出が必要な場合についてまとめると、下表のようになります。

消防法で定められている各種届出手続き

届出項目	届出を行う人	届出の時期	届出先
製造所等の譲渡、または引渡しがあったとき	譲受人、または引渡しを受けた者	遅滞なく	市町村長等
製造所等の位置、構造、または設備を変更しないで、その製造所等において貯蔵し、または取り扱う危険物の品名、数量、または指定数量の倍数を変更しようとするとき	変更しようとする者	変更しようとする日の10日前までに	市町村長等
製造所等の用途を廃止したとき	製造所等の所有者、管理者、または占有者	遅滞なく	市町村長等
危険物保安統括管理者（p.47参照）を選任、または解任したとき	製造所等の所有者、管理者、または占有者	遅滞なく	市町村長等
危険物保安監督者（p.47参照）を選任、または解任したとき	製造所等の所有者、管理者、または占有者	遅滞なく	市町村長等

試験に出るポイントはここだ！

ポイント 1 製造所等の譲渡、または引渡しがあったときは、市町村長等への届出が必要

製造所等の譲渡、または引渡しがあったときは、譲受人、または引渡しを受けた者は、製造所等の設置の許可を受けた者の地位を承継する。

ポイント 2 危険物の品名、数量、または指定数量の倍数を変更するときは、市町村長等への届出が必要

危険物の品名、数量、または指定数量の倍数を変更しようとする者は、変更しようとする日の10日前までに、その旨を市町村長等に届け出なければならない。

届出の手続きのうち、事前に届け出なければならないのは、危険物の品名、数量、または指定数量の倍数を変更するときだけなのね。

ポイント 3 製造所等の用途を廃止したときは、市町村長等への届出が必要

所有者、管理者、または占有者は、製造所等の用途を廃止したときは、遅滞なくその旨を市町村長等に届け出なければならない。

ポイント 4 危険物保安統括管理者を選任、または解任したときは、市町村長等への届出が必要

所有者、管理者、または占有者は、危険物保安統括管理者（p.47 参照）を選任したときは、遅滞なくその旨を市町村長等に届け出なければならない。解任したときも同様である。

ポイント 5 危険物保安監督者を選任、または解任したときは、市町村長等への届出が必要

所有者、管理者、または占有者は、危険物保安監督者（p.47 参照）を選任したときは、遅滞なくその旨を市町村長等に届け出なければならない。解任したときも同様である。

ポイント 6 危険物施設保安員を選任、または解任したときは、市町村長等への届出は不要

一定の製造所等の所有者、管理者、または占有者は、危険物施設保安員（p.47 参照）を選任しなければならないが届出の義務はない。解任したときも同様である。

ポイント 7 予防規程を定めたときに必要な手続きは、届出でなく認可

一定の製造所等の所有者、管理者、または占有者は、予防規程（p.50 参照）を定めたときや、変更するときは、市町村長等の認可を受けなければならない。

ポイント 8 製造所等を設置・変更しようとするときに必要な手続きは、届出でなく許可

危険物の仮貯蔵・仮取扱い（p.17 参照）では消防長または消防署長の、製造所等の仮使用（p.26 参照）では市町村長等の承認が必要である。

認可・許可・承認が必要な場合は、あらかじめ申請して、認可・許可・承認が得られるのを待たなければならないが、届出の場合は、届け出るだけで手続きが済むよ。

ゴロ合わせで覚えよう！

消防法で定められた届出手続き

名前変えるときとか、
（品名）（変更するとき）（10 日）

前もってしらせてよね！
（前までに）（届出）

製造所等で貯蔵し、または取り扱う危険物の品名、数量、指定数量の倍数を変更するときは、10 日前までに市町村長等に届け出なければならない。

Lesson 6 第1章 危険物に関する法令

危険物取扱者制度

Lessonのポイント

- ●危険物取扱者の免状の種類を覚えよう。
- ●それぞれの危険物取扱者ができること、できないことは何か？
- ●危険物取扱者以外の者が危険物を取り扱う場合に必要なことは？

危険物取扱者ができること

図表で覚えよう！

危険物取扱者は、免状の種類によって、甲種、乙種、丙種の3種類に区分されています。乙種の免状は、さらに第1類から第6類に分かれており、取得した類の危険物のみを取り扱うことができます。

製造所等における危険物の取扱いは、①危険物取扱者が行う、②甲種または乙種危険物取扱者が立ち会って危険物取扱者以外の者が行う、のどちらかに限られています。

危険物取扱者の区分

免状の種類	取り扱える危険物	立会いができる危険物
甲種	すべての危険物	すべての危険物
乙種	取得した類の危険物	取得した類の危険物
丙種	第4類危険物の一部 ※	

※ ガソリン、灯油、軽油、第三石油類（重油、潤滑油及び引火点130℃以上のもの）、第四石油類、動植物油類。

危険物取扱者以外の者が第4類の危険物を取り扱う場合

✕ 危険物取扱者以外の者しかいない

✕ 丙種危険物取扱者が立ち会っている

○ 乙種第4類の免状を有する危険物取扱者が立ち会っている

○ 甲種危険物取扱者が立ち会っている

試験に出るポイントはここだ！

ポイント 1 危険物取扱者は、甲種、乙種、丙種の 3 種類

乙種の免状は、さらに第 1 類から第 6 類に分かれており、類ごとに免状を取得するしくみになっている。

ポイント 2 甲種危険物取扱者はすべての危険物を取り扱える

なお、乙種危険物取扱者の全類の免状を取得しても、甲種に免状を切り替えることはできない。

ポイント 3 乙種危険物取扱者が取り扱えるのは、取得した類の危険物

乙種危険物取扱者は、第 1 類から第 6 類のうち、免状を取得した類の危険物のみを取り扱うことができる。

ポイント 4 丙種危険物取扱者が取り扱えるのは、第 4 類危険物の一部

丙種危険物取扱者は、第 4 類危険物のうち、ガソリン、灯油、軽油、第三石油類（重油、潤滑油及び引火点 130℃以上のもの）、第四石油類、動植物油類を取り扱うことができる。

ポイント 5 危険物の取扱いの立会いができるのは、甲種、乙種の危険物取扱者

製造所等において、危険物取扱者以外の者が危険物を取り扱うときは、甲種危険物取扱者、または、乙種危険物取扱者が立ち会わなければならない。

丙種危険物取扱者ができるのは、指定された危険物の取扱いだけで、立会いはできないのね。

ポイント 6 乙種危険物取扱者が立ち会うことができるのは、取得した類の危険物の取扱いのみ

製造所等において、危険物取扱者以外の者が第４類の危険物を取り扱うときは、甲種危険物取扱者、または、乙種第４類の免状を有する危険物取扱者が立ち会わなければならない。

危険物取扱作業の立会いができる者とできない者の区別は、試験によく出るのでしっかり覚えよう。

ポイント 7 危険物取扱者は、危険物の貯蔵・取扱いの技術上の基準を遵守しなければならない

危険物の取扱作業に従事するときは、危険物の貯蔵、または取扱いの技術上の基準を遵守するとともに、保安の確保について注意を払わなければならない。

ポイント 8 危険物取扱作業の立会いをする危険物取扱者は、取扱作業に従事する者を監督しなければならない

甲種・乙種危険物取扱者は、取扱作業に従事する者が、技術上の基準を遵守するように監督するとともに、必要に応じてこれらの者に指示を与えなければならない。

ゴロ合わせで覚えよう！

危険物の取扱作業の立会い

ヘイ！　キミたち。
（丙）　　　（立）

愛してはイケナイ！
（会い）　　（できない）

丙種危険物取扱者は、危険物取扱者以外の者が行う危険物の取扱作業の立会いはできない。

Lesson 7

第1章 危険物に関する法令

危険物取扱者免状

Lessonのポイント

- 危険物取扱者免状の交付・書換え・再交付について覚えよう。
- それぞれの手続きの申請（提出）先の細かい違いに注意！
- 免状の返納、免状の不交付となるのはどんな場合かな？

危険物取扱者免状

図表で覚えよう！

危険物取扱者免状は、危険物取扱者試験を行った都道府県知事が交付します。免状は、取得した都道府県だけでなく、全国どこでも有効です。免状の書換えや再交付の手続きについては、下表のように定められています。

危険物取扱者免状の交付等

手続き	申請（提出）の事由	申請（提出）の義務	申請（提出）先
免状の交付	試験に合格したとき	申請の義務はない	試験を行った都道府県知事
免状の書換え	氏名・本籍地等に変更が生じたとき	書換えを申請しなければならない	免状を交付した都道府県知事または、居住地もしくは勤務地の都道府県知事
	免状に添付された写真が撮影から10年を超える前		
免状の再交付	免状を亡失、または滅失したとき	再交付を申請することができる（申請の義務はない）	免状を交付、または書き換えした都道府県知事
	免状を汚損、または破損したとき ※		
	亡失した免状を発見したとき	発見した免状を10日以内に提出しなければならない	再交付を受けた都道府県知事

※ 汚損・破損の場合は、汚損・破損した免状を添えて申請しなければならない。

免状の書換えの申請と、亡失した免状を発見したときの免状の提出は「しなければならない」こと。つまり義務なのだ。

免状の交付や再交付の申請は義務ではないのね。でも、免状がないと困るから申請しないと…。

試験に出るポイントはここだ！

ポイント 1 危険物取扱者免状を交付するのは、都道府県知事

危険物取扱者免状は、危険物取扱者試験を行った都道府県知事が交付する。免状は、取得した都道府県だけでなく、全国どこでも有効である。

ポイント 2 氏名・本籍地等に変更が生じたときは、免状の書換えを申請しなければならない

免状を交付した都道府県知事、または、居住地もしくは勤務地を管轄する都道府県知事に、免状の書換えを申請しなければならない。

ポイント 3 免状の写真が撮影から 10 年を超える前に、免状の書換えを申請しなければならない

免状を交付した都道府県知事、または、居住地もしくは勤務地を管轄する都道府県知事に、免状の書換えを申請しなければならない。

ポイント 4 免状を亡失、または滅失したときは、再交付を申請できる

免状を亡失、または滅失した場合は、免状の交付、または書換えをした都道府県知事に再交付を申請できる。

ポイント 5 免状を汚損、または破損したときは、再交付を申請できる

再交付は、免状の交付、または書換えをした都道府県知事に申請できる。その場合、汚損、または破損した免状を添えて提出しなければならない。

再交付の場合、申請先には「居住地もしくは勤務地を管轄する都道府県知事」は含まれていないわ。

ポイント 6 亡失した免状を発見したときは、10日以内に提出しなければならない

免状を亡失して再交付を受けた後、亡失した免状を発見した場合は、その免状を、10日以内に再交付を受けた都道府県知事に提出しなければならない。

ポイント 7 都道府県知事は、危険物取扱者免状の返納を命ずることができる

危険物取扱者が、消防法、または消防法に基づく命令の規定に違反しているときは、免状を交付した都道府県知事は、免状の返納を命ずることができる。

ポイント 8 免状の返納を命じられた者は、1年を経過しなければ、免状の交付を受けることができない

都道府県知事は、危険物取扱者免状の返納を命ずることができ、その日から起算して1年を経過しない者に対しては、危険物取扱者免状の交付を行わないことができる。

ポイント 9 法令に違反して罰金以上の刑に処せられた者は、2年間、免状の交付を受けることができない

法令に違反した者に対して、危険物取扱者免状の交付を行わないことができるのは、都道府県知事である。

ゴロ合わせで覚えよう！

免状の書換えが必要な場合

面食いの常識。
（免）（状）

10年以上前の
（10年以上たった）

写真はNG！
（写真）（書換えが必要）

免状に添付された写真が撮影から10年を超える前に、免状の書換えを申請しなければならない。

Lesson 8 第1章 危険物に関する法令

保安講習

Lessonのポイント

- 保安講習を受講しなければならないのはどんな場合かな？
- 保安講習を受講する時期を正確に覚えよう。
- 危険物取扱作業に従事していない者は保安講習を受ける必要はない。

保安講習の受講義務

図表で覚えよう！

製造所等において危険物の取扱作業に従事する危険物取扱者は、定められた期間ごとに、都道府県知事等が行う、危険物の取扱作業の保安に関する講習（以下、保安講習）を受けなければなりません。保安講習は、全国どこでも受講することができます。

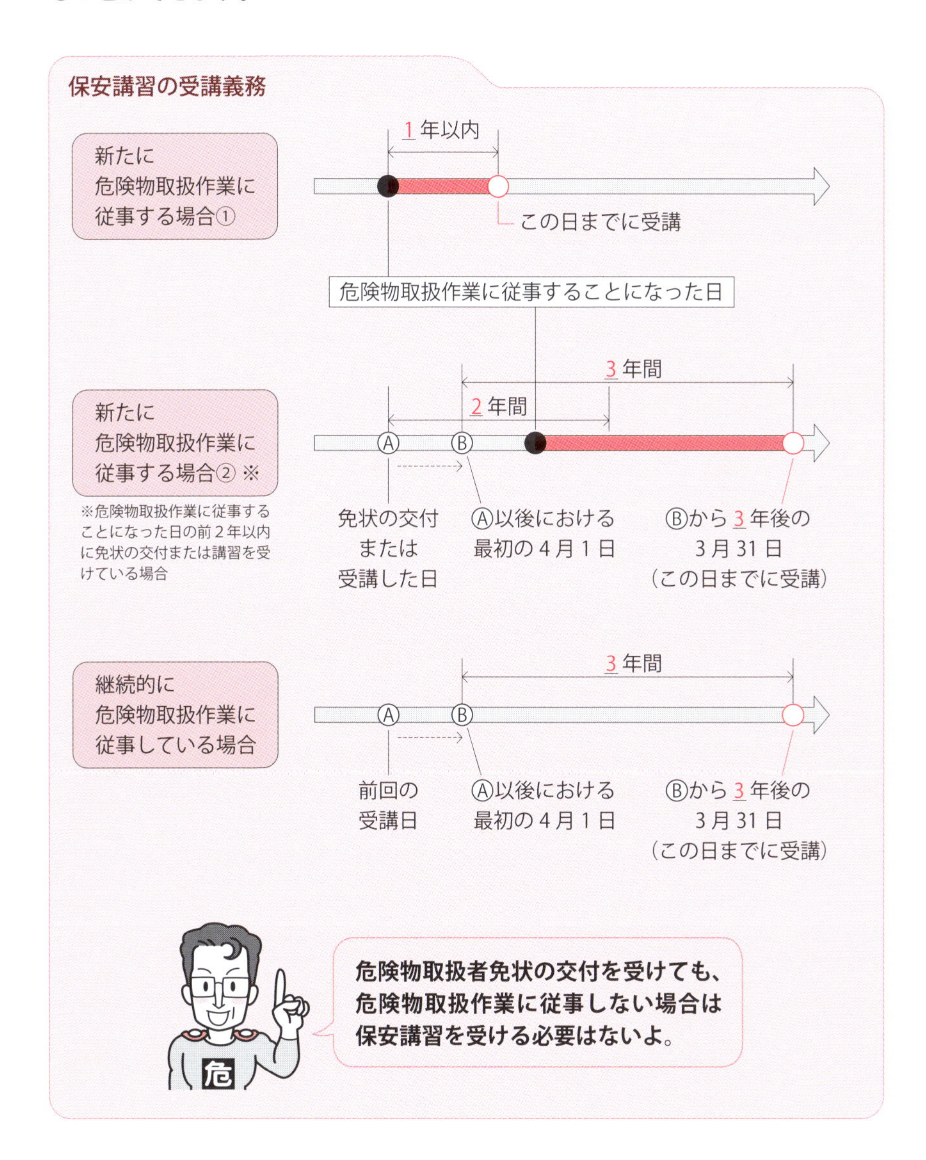

試験に出るポイントはここだ！

ポイント 1 製造所等において危険物の取扱作業に従事する危険物取扱者は、保安講習を受けなければならない

製造所等において危険物の取扱作業に従事する危険物取扱者は、定められた期間ごとに、都道府県知事等が行う保安講習を受講しなければならない。

ポイント 2 新たに危険物の取扱作業に従事する場合は、1年以内に保安講習を受けなければならない

免状を取得し、危険物の取扱作業に従事していなかった者が、新たに危険物の取扱作業に従事する場合が該当する。

ポイント 3 過去2年以内に免状の交付、または講習を受けている場合は、受講期限が緩和される

この場合は、免状の交付日または受講した日以後における最初の4月1日から3年以内に保安講習を受講すればよい。

ポイント 4 継続的に危険物取扱作業に従事している場合は、3年ごとに保安講習を受けなければならない

継続的に危険物取扱作業に従事している場合は、前回講習を受けた日以後における最初の4月1日から3年以内に保安講習を受講しなければならない。

何だかややこしいようだけれど、要するに、危険物を取り扱う仕事を続けている間は、だいたい3年に1回は講習を受けなければならないのね。

ポイント 5 危険物取扱作業に従事していない者は、保安講習を受ける必要はない

危険物取扱者であっても、危険物取扱作業に従事していない者や、危険物取扱作業に従事しなくなった者は、保安講習を受ける必要はない。

ポイント 6 危険物取扱者でない者は、保安講習を受ける必要はない

製造所等において危険物の取扱作業に従事する者であっても、危険物取扱者でない者は、保安講習を受ける必要はない。

ポイント 7 保安講習を受けなければならないのは、法令に違反した者だけではない

製造所等において危険物の取扱作業に従事する危険物取扱者はすべて、定められた期間ごとに保安講習を受講しなければならない。

ポイント 8 受講義務がありながら保安講習を受けなかった場合、免状の返納を命じられることがある

保安講習を受講しなければならない危険物取扱者が講習を受けなかった場合は、免状の返納を命じられることがある。

危険物を扱う仕事を長く続けていると、仕事には慣れてくるけれど、ついつい基本的な知識を忘れがちになる。そのために講習があるのだよ。

ゴロ合わせで覚えよう！

保安講習の受講義務

さあ、ギョーザ食べよう、
（作業）

10時から。
（従事）

口臭はがまんしてね！
（講習）（受けなければならない）

製造所等において危険物の取扱作業に従事する危険物取扱者は、保安講習を受けなければならない。

第1章 危険物に関する法令

Lesson 9 保安統括管理者・保安監督者・施設保安員

Lessonのポイント

- 危険物保安統括管理者を選任しなければならないのはどんな場合か？
- 危険物保安監督者を選任しなければならない場合は？
- 危険物施設保安員を選任しなければならない場合は？

まずは名称を覚えよう

図表で覚えよう！

製造所等の規模が大きく、取り扱う危険物の量が多いほど、火災が起きた場合の危険はより大きくなるため、厳重な保安体制が必要です。そのため、製造所等の規模に応じて、危険物保安統括管理者、危険物保安監督者、危険物施設保安員の選任が義務づけられています。

危険物施設の保安体制

危険物保安統括管理者の選任が必要な事業所

製造所等の区分	危険物の数量
製造所	指定数量の 3000 倍以上の第 4 類危険物
一般取扱所	指定数量の 3000 倍以上の第 4 類危険物
移送取扱所	指定数量以上の第 4 類危険物

危険物施設保安員の選任が必要な製造所等

製造所等の区分	危険物の数量
製造所	指定数量の 100 倍以上の危険物
一般取扱所	指定数量の 100 倍以上の危険物
移送取扱所	すべて

危険物保安監督者の選任が必要な製造所等

製造所等の区分	危険物の数量					
	第 4 類危険物				第 4 類以外の危険物	
	指定数量の 30 倍以下		指定数量の 30 倍を超える		指定数量の 30 倍以下	指定数量の 30 倍を超える
	引火点 40℃以上のもののみ	引火点 40℃未満のもの含む	引火点 40℃以上のもののみ	引火点 40℃未満のもの含む		
製造所	○	○	○	○	○	○
屋内貯蔵所	×	○	○	○	○	○
屋外タンク貯蔵所	○	○	○	○	○	○
屋内タンク貯蔵所	×	○	×	○	○	○
地下タンク貯蔵所	×	○	○	○	○	○
簡易タンク貯蔵所	×	○	×	○	○	○
移動タンク貯蔵所	×	×	×	×	×	×
屋外貯蔵所	×	×	○	○	×	○
給油取扱所	○	○	○	○	○	○
第一種販売取扱所	×	○	×	×	○	×
第二種販売取扱所	×	○	×	○	○	○
移送取扱所	○	○	○	○	○	○
一般取扱所 ※	×	○	○	○	○	○
上記以外の一般取扱所	○	○	○	○	○	○

○は必要、×は不要を示す

※ ①ボイラー、バーナーその他これらに類する装置で危険物を消費するもの
　②危険物を容器に詰め替えるもの

試験に出るポイントはここだ！

ポイント 1 大量の第4類危険物を取り扱う事業所には、危険物保安統括管理者を選任しなければならない

製造所等を所有、管理、または占有する者は、危険物保安統括管理者を定め、危険物の保安に関する業務を統括管理させなければならない。

危険物保安統括管理者は、複数の製造所等がある大規模な事業所で、事業所全体の保安体制を取りまとめる役だよ。

ポイント 2 政令で定める製造所等には、危険物保安監督者を選任しなければならない

政令で定める製造所等（p.46 参照）の所有者、管理者、または占有者は、危険物保安監督者を定め、危険物の取扱作業に関して保安の監督をさせなければならない。

ポイント 3 危険物保安監督者は、甲種、または乙種危険物取扱者でなければならない

乙種危険物取扱者を危険物保安監督者に選任する場合は、その製造所等で取り扱う危険物の類の免状を取得している者でなければならない。

ポイント 4 危険物保安監督者は、6カ月以上の危険物取扱いの実務経験を有する者でなければならない

危険物保安監督者は、製造所等において6カ月以上の危険物取扱いの実務経験を有する者から選任しなければならない。

ポイント 5 政令で定める製造所等には、危険物施設保安員を選任しなければならない

政令で定める製造所等（p.45 参照）の所有者、管理者、または占有者は、危険物施設保安員を定め、危険物保安監督者の下で保安のための業務を行わせなければならない。

ポイント 6 危険物保安統括管理者、危険物施設保安員は、危険物取扱者でなくともよい

危険物保安監督者とは異なり、危険物保安統括管理者、危険物施設保安員に選任する者は危険物取扱者である必要はなく、資格についての規定は特にない。

ポイント 7 危険物保安統括管理者は事業所ごと、危険物保安監督者、危険物施設保安員は製造所等ごとに選任

同一事業所に複数の製造所等がある場合、危険物保安統括管理者は事業所全体に対して１名選任すればよいが、危険物保安監督者、危険物施設保安員は製造所等ごとに選任しなければならない。

ポイント 8 危険物保安統括管理者、危険物施設保安員は、危険物取扱作業の立会いができる資格ではない

甲種、または乙種危険物取扱者でなければ、危険物取扱者以外の者が行う危険物の取扱作業の立会いはできない。

ポイント 9 市町村長等は、危険物保安統括管理者、危険物保安監督者の解任を命ずることができる

消防法などに違反したときは、所有者、管理者、または占有者に対し、危険物保安統括管理者、危険物保安監督者の解任を命ずることができる。

重要用語を覚えよう！

危険物保安統括管理者

危険物保安統括管理者とは、複数の製造所等がある大規模な事業所で、事業所全体の保安業務を統括的に管理する者である。

指定数量の 3000 倍以上の第 4 類危険物を取り扱う製造所、一般取扱所に選任。指定数量以上の第 4 類危険物を取り扱う移送取扱所に選任。

Lesson 10 第1章 危険物に関する法令

予防規程

Lessonのポイント

- 予防規程とは何かを知ろう。
- 予防規程を定めなければならない製造所等を覚えよう。
- 予防規程を定めたときに必要な手続きは？

予防規程とは？

図表で覚えよう！

予防規程とは、それぞれの製造所等において、災害を防ぎ、安全を確保するために守るべき事項を具体的に記した、自主保安に関する規程です。政令で定められた製造所等の所有者、管理者、または占有者は、予防規程を定め、市町村長等の認可を受けなければなりません。

予防規程を定める製造所等の所有者、管理者、または占有者、及びその従業者は、予防規程を遵守しなければなりません。

予防規程を定めなければならない製造所等

製造所等の区分	危険物の数量
製造所	指定数量の 10 倍以上
屋内貯蔵所	指定数量の 150 倍以上
屋外タンク貯蔵所	指定数量の 200 倍以上
屋外貯蔵所	指定数量の 100 倍以上
給油取扱所	すべて
移送取扱所	すべて
一般取扱所	指定数量の 10 倍以上 ※

※ 指定数量の倍数が 30 以下で、かつ、引火点 40℃以上の第 4 類危険物のみを容器に詰め替える一般取扱所を除く。

屋内タンク貯蔵所、地下タンク貯蔵所、簡易タンク貯蔵所、移動タンク貯蔵所、販売取扱所では、予防規程を定めなくていいのね。

その通り！ 予防規程を定めなければならない製造所等と、予防規程を定めなくてよい製造所等を区別する問題は、試験に出ることがあるよ。

試験に出るポイントはここだ！

ポイント1 政令で定める製造所等では、予防規程を定めなければならない

政令で定める製造所等（p.50参照）の所有者、管理者、または占有者は、製造所等の火災を予防するため、予防規程を定めなければならない。

ポイント2 予防規程を定めたときは、市町村長等の認可を受けなければならない

製造所等の所有者、管理者、または占有者は、予防規程を定めたときは、市町村長等の認可を受けなければならない。予防規程を変更するときも同様である。

製造所等を設置・変更するときに必要なのは、市町村長等の許可。予防規程を定めたときや変更したときに必要なのは、市町村長等の認可。この違いを覚えておこう。

ポイント3 市町村長等は、予防規程が技術上の基準に適合していないときは、認可してはならない

市町村長等は、予防規程が技術上の基準に適合していないとき、その他火災の予防のために適当でないと認めるときは、予防規程を認可してはならない。

ポイント4 市町村長等は、予防規程の変更を命ずることができる

市町村長等は、火災の予防のため必要があるときは、予防規程の変更を命ずることができる。

ポイント5 製造所等の所有者、管理者、占有者、従業者は、予防規程を守らなければならない

製造所等の所有者、管理者、または占有者、及びその従業者は、予防規程を守らなければならない。

ポイント 6 予防規程には、危険物の取扱作業の基準に関することを定めなければならない

このほかに、危険物の保安のための巡視、点検及び検査に関すること、危険物施設の運転または操作に関することなども定めなければならない。

ポイント 7 予防規程には、危険物保安監督者の職務を代行する者について定めなければならない

予防規程には、危険物保安監督者が、旅行、疾病その他の事故によって職務を行えない場合に、職務を代行する者に関することを定めなければならない。

ポイント 8 予防規程には、災害その他の非常の場合に取るべき措置を定めなければならない

このほかに、地震及び地震に伴う津波が発生し、または発生するおそれがある場合における施設、設備の点検、応急措置等に関することを定めなければならない。

ポイント 9 予防規程には、製造所等の図面の整備について定めなければならない

予防規程には、製造所等の位置、構造及び設備を明示した書類及び図面の整備に関することを定めなければならない。

ゴロ合わせで覚えよう!

予防規程を定めた場合の手続き

よぼよぼのおじいちゃん、
（予防）

何人か来ています
（認可）（規程）

予防規程を定めたときは、市町村長等の認可を受けなければならない。

Lesson 11 第1章 危険物に関する法令 定期点検

Lessonのポイント

- 定期点検が義務づけられている製造所等を覚えよう。
- 定期点検を実施できる者は？
- 定期点検の時期と、点検記録の保存期間を覚えよう。

定期点検とは？

図表で覚えよう！

すべての製造所等の所有者、管理者、または占有者には、製造所等の位置、構造及び設備の技術上の基準を維持する義務があります。特に、政令で定められた製造所等の所有者、管理者、または占有者は、製造所等を定期的に点検し、その点検記録を作成し、一定の期間保存することが義務づけられています。

定期点検を実施しなければならない製造所等

製造所等の区分	危険物の数量等
製造所	指定数量の 10 倍以上 及び 地下タンクを有するもの
屋内貯蔵所	指定数量の 150 倍以上
屋外タンク貯蔵所	指定数量の 200 倍以上
屋外貯蔵所	指定数量の 100 倍以上
地下タンク貯蔵所	すべて
移動タンク貯蔵所	すべて
給油取扱所	地下タンクを有するもの
移送取扱所	すべて
一般取扱所 ※	指定数量の 10 倍以上 ※ 及び 地下タンクを有するもの

※ 指定数量の倍数が 30 以下で、かつ、引火点 40℃以上の第 4 類危険物のみを容器に詰め替える一般取扱所を除く。

予防規程を定めなければならない製造所等（p.50 参照）と共通する部分もあるし、違う部分もあるね。

地下タンク貯蔵所と、地下タンクのある製造所等には、いずれも定期点検が義務づけられているよ。このことは覚えておこう。

試験に出るポイントはここだ！

ポイント 1 政令で定める製造所等の所有者、管理者、または占有者は、定期点検を行わなければならない

政令で定める製造所等（p.54 参照）の所有者、管理者、または占有者は、これらの製造所等を定期的に点検しなければならない。

ポイント 2 定期点検を行ったときは、その点検記録を作成し、保存しなければならない

定期点検が義務づけられている製造所等の所有者、管理者、または占有者は、その点検記録を作成し、保存しなければならない。

ポイント 3 定期点検は 1 年に 1 回以上行わなければならない

定期点検は、原則として 1 年に 1 回以上行わなければならない。ただし、後述するいくつかの定期点検については例外がある。

ポイント 4 点検記録は 3 年間保存しなければならない

定期点検の点検記録は、原則として 3 年間保存しなければならない。ただし、後述するいくつかの定期点検については例外がある。

原則として、定期点検は 1 年に 1 回、点検記録の保存期間は 3 年。とりあえず、これだけは覚えちゃおうっと。

ポイント 5 一定の条件を満たす地下貯蔵タンクの漏れの点検は、3 年に 1 回以上

地下貯蔵タンクのうち、完成検査を受けた日から 15 年を超えないもの、または、危険物の漏れを覚知しその漏えい拡散を防止するための措置が講じられているものの漏れの点検は、3 年に 1 回以上でよい（それ以外は 1 年に 1 回以上）。

ポイント 6 二重殻タンクの強化プラスチック製の外殻の漏れの点検は、3 年に 1 回以上

ただし、外殻と地下貯蔵タンクとの間に危険物の漏れを検知するための液体が満たされているものは、漏れの点検をしなくてよい。

ポイント 7 二重殻タンクの内殻については、漏れの点検はしなくともよい

地下貯蔵タンク、またはその部分のうち、①二重殻タンクの内殻、②危険物の微少な漏れを検知しその漏えい拡散を防止するための措置が講じられているものについては、漏れの点検をしなくてよい。

ポイント 8 移動貯蔵タンクの漏れの点検は、5 年に 1 回以上

移動貯蔵タンクの漏れの点検は、5 年に 1 回以上行わなければならない。点検記録の保存期間は 10 年間である。

ポイント 9 一定の屋外タンク貯蔵所については、内部点検を行わなければならない

引火性液体の危険物を貯蔵し、または取り扱う屋外タンク貯蔵所（岩盤タンク、海上タンクを除く）で容量が 1000kL 以上 10000kL 未満のものが該当する。

引火性液体とは、つまり第 4 類の危険物のことだよね。

10000kL 以上の屋外タンク貯蔵所は、内部点検をしなくてよいかわりに、保安検査が必要なのだが、ここでは省略するよ。

ポイント 10 屋外タンク貯蔵所の内部点検は、13 年、または 15 年周期で行う

屋外タンク貯蔵所の内部点検は、原則として、13 年、または 15 年周期で行う。内部点検記録の保存期間は、26 年、または 30 年である。

ポイント 11 定期点検を実施できるのは、危険物取扱者、または危険物施設保安員

危険物施設保安員は、危険物取扱者の免状の交付を受けていなくとも、定期点検を行うことができる。

ポイント 12 危険物取扱者の立会いを受けた場合は、危険物取扱者以外の者でも定期点検を実施できる

危険物取扱者の立会いを受けた場合は、危険物取扱者以外の者が定期点検を行うことができる。この場合、丙種危険物取扱者が立会いをしてもよい。

丙種危険物取扱者は、危険物の取扱作業の立会いはできないが、定期点検の立会いはできるのだ。

ポイント 13 漏れの点検、固定式の泡消火設備の点検は、知識及び技能を有する者が行わなければならない

危険物取扱者が立ち会って、危険物取扱者以外の者が漏れの点検を行う場合は、点検に関する知識と技能をもつ者に限る。固定式の泡消火設備の点検の場合は、泡の発泡機構、泡消火薬剤の性状・性能等に関する知識と技能をもつ者に限る。

ゴロ合わせで覚えよう！

定期点検の立会い

ヘイ！ キミたち。
（丙）　（立）

愛していいよ！
（会い）（できる）

徹底的に愛しなさい！
（定期点検）

危険物取扱者以外の者が行う定期点検の立会いは、丙種危険物取扱者でもできる。

Lesson 12 第1章 危険物に関する法令

保安距離・保有空地

Lessonのポイント

- 製造所等から保安距離を保たなければならない建造物は？
- 建造物の種類ごとの保安距離を覚えよう。
- 保安距離・保有空地が必要な製造所等は？

製造所等の位置に関する基準

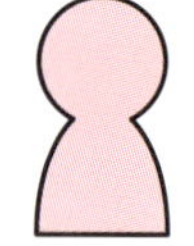

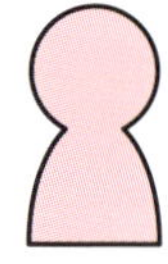

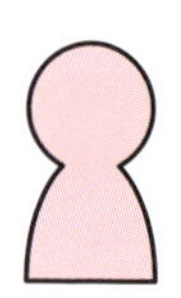

図表で覚えよう！

製造所等で万一火災が起きた場合に、付近の住宅や、学校、病院、その他の保安対象物に重大な影響が及ばないように、それらの建造物と製造所等の間に一定の保安距離を確保する必要があります。また、消防活動及び延焼防止のために、製造所等の周囲に確保する空き地を、保有空地といいます。

製造所等の保安距離

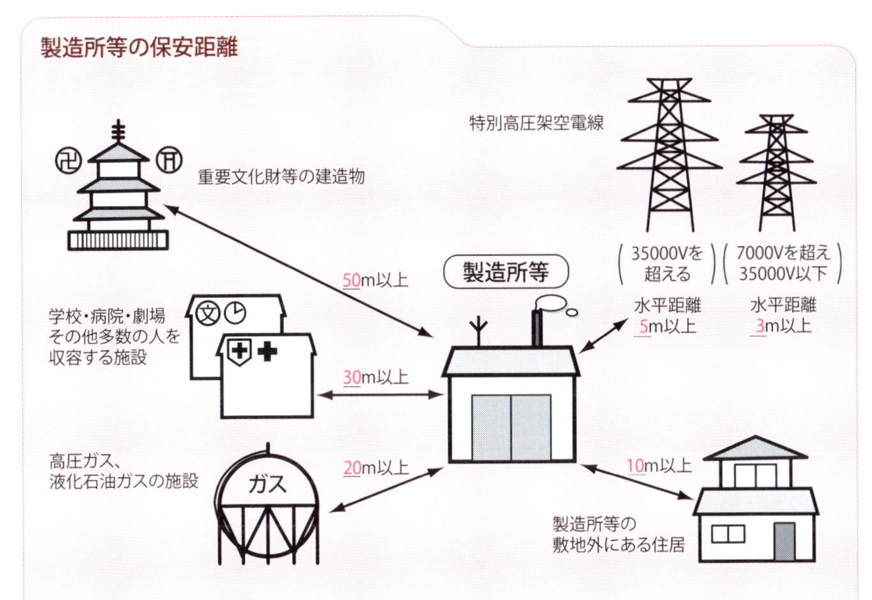

保安距離・保有空地が必要な製造所等

保安距離が必要な製造所等	保有空地が必要な製造所等
製造所	製造所
屋内貯蔵所	屋内貯蔵所
屋外タンク貯蔵所	屋外タンク貯蔵所
屋外貯蔵所	屋外貯蔵所
一般取扱所	一般取扱所
	簡易タンク貯蔵所（屋外に設けるもの）
	移送取扱所（地上設置のもの）

保有空地に関する規制

<table>
<tr><th>製造所等の区分</th><th>危険物の数量等</th><th colspan="2">保有空地の幅</th></tr>
<tr><td rowspan="2">製造所</td><td>指定数量の 10 倍以下</td><td colspan="2">3m 以上</td></tr>
<tr><td>指定数量の 10 倍を超える</td><td colspan="2">5m 以上</td></tr>
<tr><td rowspan="7">屋内貯蔵所</td><td></td><td>壁・柱・床が耐火構造</td><td>壁・柱・床が耐火構造以外</td></tr>
<tr><td>指定数量の 5 倍以下</td><td>0m</td><td>0.5m 以上</td></tr>
<tr><td>指定数量の 5 倍を超え 10 倍以下</td><td>1m 以上</td><td>1.5m 以上</td></tr>
<tr><td>指定数量の 10 倍を超え 20 倍以下</td><td>2m 以上</td><td>3m 以上</td></tr>
<tr><td>指定数量の 20 倍を超え 50 倍以下</td><td>3m 以上</td><td>5m 以上</td></tr>
<tr><td>指定数量の 50 倍を超え 200 倍以下</td><td>5m 以上</td><td>10m 以上</td></tr>
<tr><td>指定数量の 200 倍を超える</td><td>10m 以上</td><td>15m 以上</td></tr>
<tr><td rowspan="6">屋外タンク貯蔵所</td><td>指定数量の 500 倍以下</td><td colspan="2">3m 以上</td></tr>
<tr><td>指定数量の 500 倍を超え 1000 倍以下</td><td colspan="2">5m 以上</td></tr>
<tr><td>指定数量の 1000 倍を超え 2000 倍以下</td><td colspan="2">9m 以上</td></tr>
<tr><td>指定数量の 2000 倍を超え 3000 倍以下</td><td colspan="2">12m 以上</td></tr>
<tr><td>指定数量の 3000 倍を超え 4000 倍以下</td><td colspan="2">15m 以上</td></tr>
<tr><td>指定数量の 4000 倍を超える</td><td colspan="2">タンクの直径または高さのうち、大きいほうに等しい距離以上（15m 未満にすることはできない）</td></tr>
<tr><td rowspan="6">屋外貯蔵所</td><td></td><td></td><td>引火点 130℃以上の第 4 類危険物のみを貯蔵し、取り扱うもの</td></tr>
<tr><td>指定数量の 10 倍以下</td><td>3m 以上</td><td rowspan="3">3m 以上</td></tr>
<tr><td>指定数量の 10 倍を超え 20 倍以下</td><td>6m 以上</td></tr>
<tr><td>指定数量の 20 倍を超え 50 倍以下</td><td>10m 以上</td></tr>
<tr><td>指定数量の 50 倍を超え 200 倍以下</td><td>20m 以上</td><td>6m 以上</td></tr>
<tr><td>指定数量の 200 倍を超える</td><td>30m 以上</td><td>10m 以上</td></tr>
<tr><td>一般取扱所</td><td colspan="3">製造所の基準を準用</td></tr>
<tr><td colspan="2">簡易タンク貯蔵所（屋外に設けるもの）</td><td colspan="2">1m 以上</td></tr>
</table>

※ 移送取扱所については、法令による扱いが他の製造所等と異なるため割愛

試験に出るポイントはここだ！

ポイント 1 重要文化財との間には 50m 以上の保安距離が必要

重要文化財や史跡等の建造物から製造所等までの間には、50m 以上の距離を保たなければならない。

ポイント 2 学校との間には 30m 以上の保安距離が必要

学校、病院、劇場等から製造所等までの間には、30m 以上の距離を保たなければならない。

保安距離が一番長いのが重要文化財等、次に長いのが学校、病院、劇場等だね。

ポイント 3 高圧ガス等を貯蔵する施設との間には 20m 以上の保安距離が必要

高圧ガスその他災害を発生させるおそれのある物を貯蔵し、または取り扱う施設から製造所等までの間には、20m 以上の距離を保たなければならない。

ポイント 4 製造所等の敷地外にある住居との間には 10m 以上の保安距離が必要

住居（製造所等と同一の敷地内にあるものを除く）から製造所等までの間には、10m 以上の距離を保たなければならない。

ポイント 5 特別高圧架空電線と製造所等との間に必要な保安距離は、水平距離 3m 以上、または 5m 以上

使用電圧 7000V を超え 35000V 以下の特別高圧架空電線から製造所の外壁、またはこれに相当する工作物の外側までの間には、水平距離 3m 以上の距離を保たなければならない。使用電圧 35000V を超える場合は、水平距離 5m 以上。

ポイント 6 保安距離が必要なのは、製造所、屋内貯蔵所、屋外タンク貯蔵所、屋外貯蔵所、一般取扱所

タンク貯蔵所で保安距離が必要なのは、屋外タンク貯蔵所のみである。

ポイント 7 一定の製造所等の周囲には、保有空地が必要

保有空地の幅は、製造所等の区分や、貯蔵し、または取り扱う危険物の指定数量の倍数によって異なる（p.60 参照）。

ポイント 8 保有空地は、屋外に設ける簡易タンク貯蔵所、地上設置の移送取扱所にも必要

保有空地が必要な製造所等は、保安距離が必要な製造所等（製造所、屋内貯蔵所、屋外タンク貯蔵所、屋外貯蔵所、一般取扱所）のほか、簡易タンク貯蔵所（屋外に設けるもの）、移送取扱所（地上設置のもの）である。

保安距離も保有空地も必要ないのは、屋内タンク貯蔵所、地下タンク貯蔵所、移動タンク貯蔵所、給油取扱所、販売取扱所ね。

ゴロ合わせで覚えよう！

保安距離が必要な製造所等

一同勢ぞろい。人数多くない？
（製造所）（屋内貯蔵所）

奥がいい！ 奥がいい！
（屋外貯蔵所）（屋外タンク貯蔵所）

一般人とは距離をおきたいので
（一般取扱所）（保安距離が必要）

保安距離が必要な製造所等は、製造所、屋内貯蔵所、屋外タンク貯蔵所、屋外貯蔵所、一般取扱所。

Lesson 13 各製造所等の基準（1）

Lessonのポイント

- 製造所の建築物は、地階を有しないものでなければならない。
- 製造所の建築物の屋根は、軽量な不燃材料でふくこと。
- 製造所の建築物の窓、出入口には防火設備を設ける。

製造所等の区分ごとの基準

図表で覚えよう！

製造所等の位置、構造及び設備の技術上の基準は、政令により、製造所等の区分ごとに細かく定められています。ここでは、製造所の位置、構造、設備に関する基準のうち、特に重要なものを覚えましょう（保安距離・保有空地については Lesson 12 参照）。

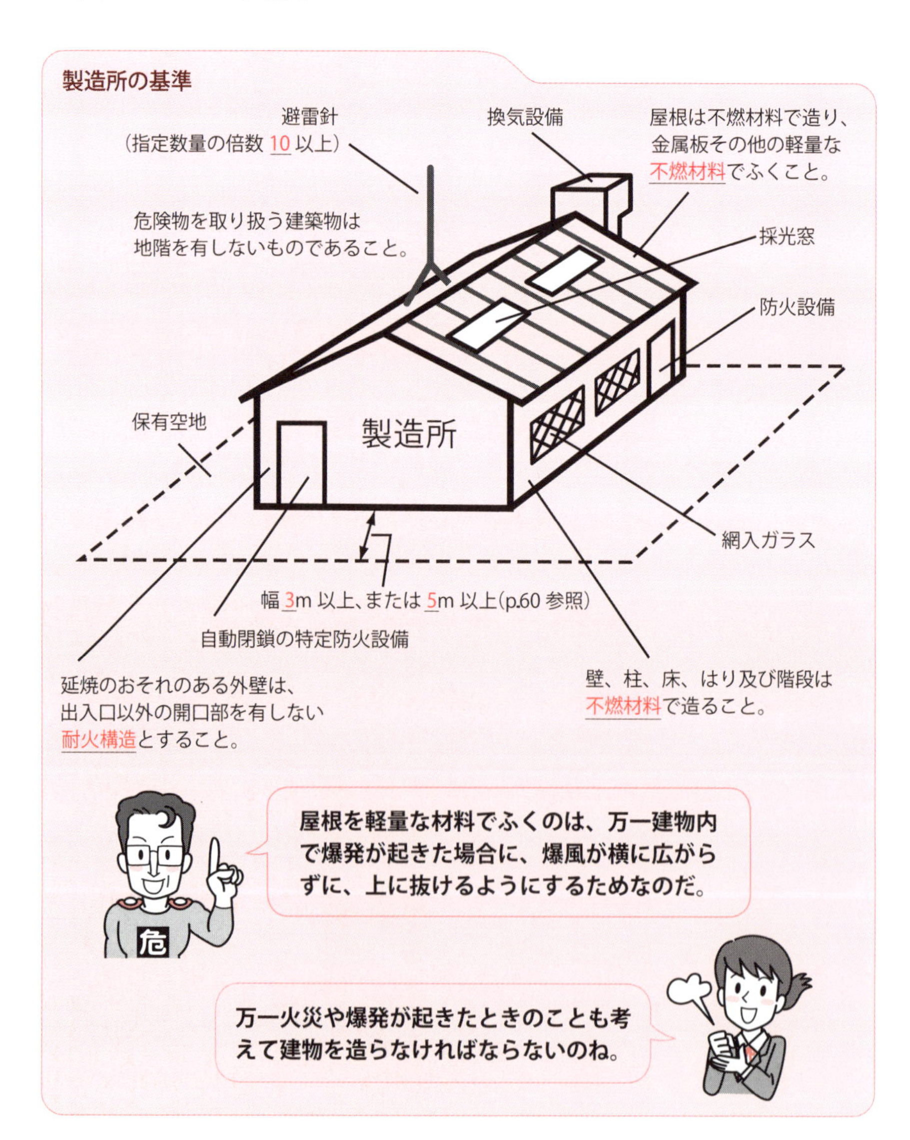

試験に出るポイントはここだ！

ポイント 1 製造所において危険物を取り扱う建築物は、地階を有しないものであること

地階とは、床が地盤面下にある階で、床面から地盤面までの高さがその階の天井の高さの3分の1以上のものをいう（建築基準法施行令による）。

ポイント 2 製造所において危険物を取り扱う建築物は、壁、柱、床、はり及び階段を不燃材料で造ること

延焼のおそれのある外壁は、出入口以外の開口部を有しない耐火構造としなければならない。

ポイント 3 屋根は、不燃材料で造り、金属板その他の軽量な不燃材料でふくこと

製造所において危険物を取り扱う建築物は、屋根を不燃材料で造るとともに、金属板その他の軽量な不燃材料でふくよう定められている。

ポイント 4 窓及び出入口には、防火設備を設けること

延焼のおそれのある外壁に設ける出入口には、随時開けることができる自動閉鎖の特定防火設備を設けなければならない。

ポイント 5 窓、または出入口にガラスを用いる場合は、網入ガラスにすること

製造所において危険物を取り扱う建築物の窓、または出入口にガラスを用いる場合は、網入ガラスにしなければならない。

万一爆発が起きてガラスが割れても破片が飛び散らないように、網入ガラスにするんだね。

ポイント 6 液状の危険物を取り扱う建築物の床には、貯留設備を設けること

液状の危険物を取り扱う建築物の床は、危険物が浸透しない構造とするとともに、適当な傾斜を付け、かつ、漏れた危険物を一時的に貯留する設備を設けなければならない。

ポイント 7 危険物を取り扱うために必要な採光、照明及び換気の設備を設けること

また、可燃性の蒸気等が滞留するおそれのある建築物には、蒸気等を屋外の高所に排出する設備を設けなければならない。

ポイント 8 温度の変化が起こる設備には、温度測定装置を設けること

また、静電気が発生するおそれのある設備には、静電気を有効に除去する装置を設けなければならない。

ポイント 9 危険物を取り扱う配管は、容易に劣化するおそれのないものであること

また、配管は、配管にかかる最大常用圧力の1.5倍以上の圧力で水圧試験を行ったときに、漏えいその他の異常がないものでなければならない。

重要用語を覚えよう!

耐火構造

耐火構造とは、建築物の主要構造部が高熱に強く、火災による熱に一定時間耐え得る構造であること。鉄筋コンクリート造が代表的。

不燃材料とは、コンクリート、モルタル、しっくい、鉄板、瓦などの不燃性の材料。不燃材料を使用するだけで耐火構造になるわけではない。

Lesson 14 各製造所等の基準（2）

Lessonのポイント

- 屋内貯蔵所の貯蔵倉庫の屋根は、軽量な不燃材料でふくこと。
- 屋内貯蔵所の貯蔵倉庫には、天井を設けてはならない。
- 屋外貯蔵タンクの周囲には、防油堤を設けなければならない。

屋内貯蔵所の基準

図表で覚えよう！

　ここでは、屋内貯蔵所、屋外タンク貯蔵所の位置、構造、設備に関する基準のうち、特に重要なものを覚えましょう（保安距離・保有空地については「Lesson 12」参照）。

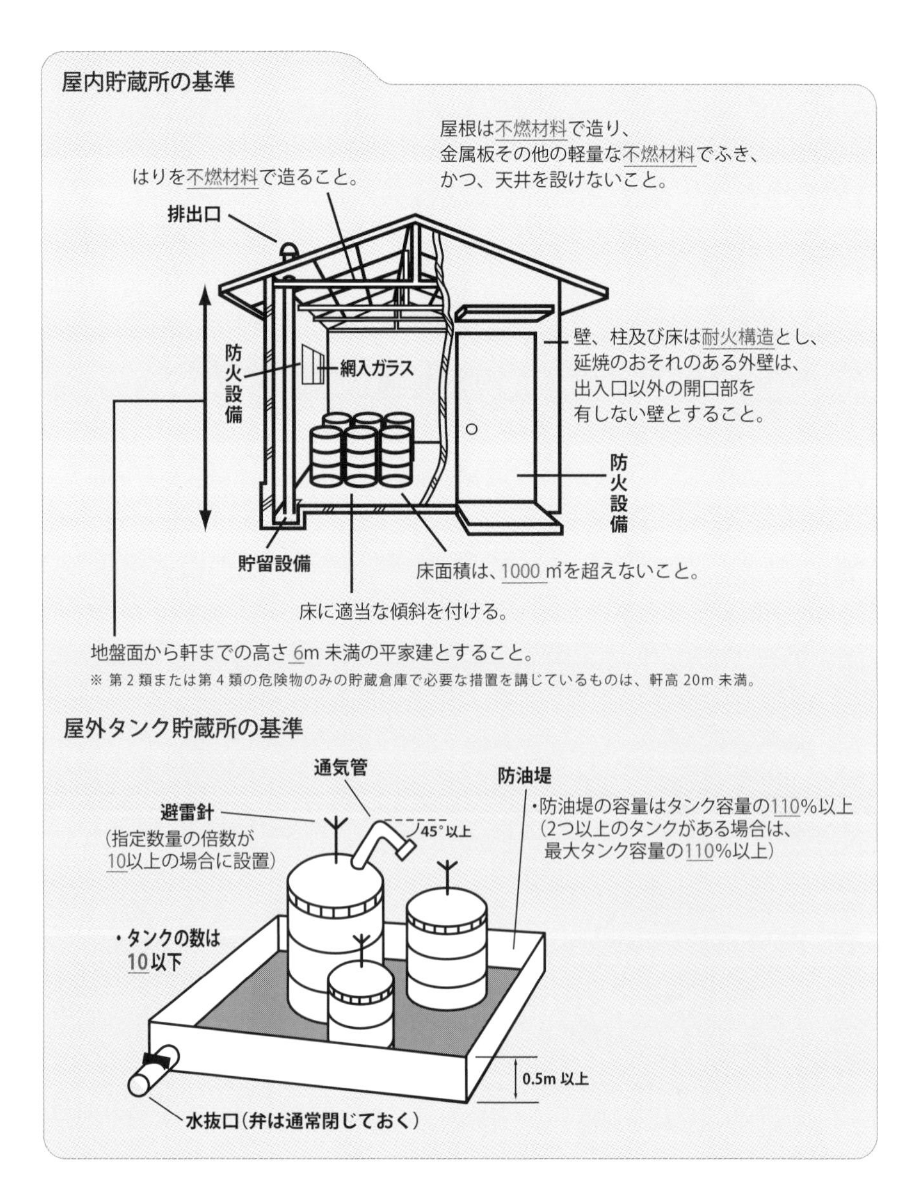

試験に出るポイントはここだ！

ポイント1 屋内貯蔵所の貯蔵倉庫は、独立した専用の建築物とすること

屋内貯蔵所の貯蔵倉庫は、独立した専用の建築物としなければならない。貯蔵倉庫の床面積は、1000m²を超えてはならない。

ポイント2 貯蔵倉庫は、軒高 6m 未満の平家建とすること

ただし、第２類または第４類の危険物のみの貯蔵倉庫で必要な措置を講じているものは、軒高を 20m 未満にできる。

ポイント3 貯蔵倉庫は、壁、柱及び床を耐火構造とし、はりを不燃材料で造ること

また、延焼のおそれのある外壁を、出入口以外の開口部を有しない壁にしなければならない。

製造所の壁、柱、床、はりは不燃材料、屋内貯蔵所は、壁、柱、床が耐火構造で、はりは不燃材料と覚えておくわ。

ポイント4 貯蔵倉庫は、屋根を不燃材料で造り、金属板その他の軽量な不燃材料でふき、天井を設けないこと

ただし、貯蔵する危険物の類等の条件による緩和規定がある。

ポイント5 貯蔵倉庫の窓及び出入口には、防火設備を設けること

延焼のおそれのある外壁に設ける出入口には、随時開けることができる自動閉鎖の特定防火設備を設けなければならない。

ポイント 6 貯蔵倉庫の窓、または出入口にガラスを用いる場合は、網入ガラスにすること

屋内貯蔵所の貯蔵倉庫の窓、または出入口にガラスを用いる場合は、網入ガラスにしなければならない。

ポイント 7 液状の危険物を取り扱う貯蔵倉庫の床には、貯留設備を設けること

液状の危険物を取り扱う貯蔵倉庫の床は、危険物が浸透しない構造とするとともに、適当な傾斜を付け、かつ、漏れた危険物を一時的に貯留する設備を設けなければならない。

ポイント 8 屋内貯蔵所の貯蔵倉庫に架台を設ける場合は、不燃材料で造ること

屋内貯蔵所の貯蔵倉庫に架台を設ける場合は、不燃材料で造るとともに、堅固な基礎に固定しなければならない。

架台とは、簡単に言うと、危険物を置いておく棚のことだよ。

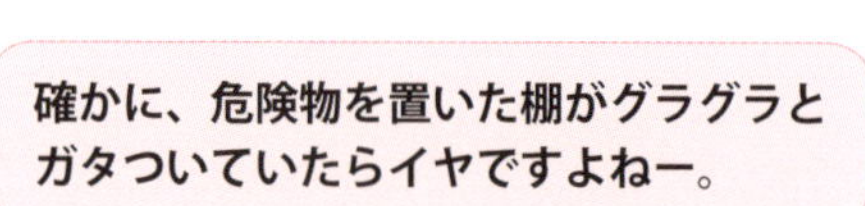

ポイント 9 引火点 70℃未満の危険物の貯蔵倉庫には、蒸気を屋根上に排出する設備を設けること

引火点 70℃未満の危険物の貯蔵倉庫にあっては、内部に滞留した可燃性の蒸気を屋根上に排出する設備を設けなければならない。

ポイント 10 屋外タンク貯蔵所の、圧力タンク以外のタンクには、通気管を設けること

屋外タンク貯蔵所においては、圧力タンクには安全装置を、圧力タンク以外のタンクには無弁または大気弁付の通気管を設けなければならない（地下タンク貯蔵所も同様。屋内タンク貯蔵所は、無弁通気管のみ）。

ポイント 11 液体の危険物の屋外貯蔵タンクの周囲には、防油堤を設けること

防油堤の高さは 0.5m 以上、防油堤内の面積は 80000m²以下にしなければならない。

ポイント 12 防油堤内に設置する屋外貯蔵タンクの数は、10 以下であること

ただし、屋外貯蔵タンクの容量と、貯蔵する危険物の引火点による緩和規定がある。

ポイント 13 防油堤の容量は、屋外貯蔵タンクの容量の110%以上とすること

2 基以上のタンクがある場合は、容量が最大であるタンクの容量の 110%以上としなければならない。

防油堤内に容量 10kL、20kL、30kL の 3 基の屋外貯蔵タンクがある場合、防油堤の容量は、一番大きいタンクの容量の 110%以上、つまり 33 kL 以上必要だよ。

ゴロ合わせで覚えよう!

屋外貯蔵タンクの防油堤

もう言っていい?
(防)(油)(堤)

奥さん、意外に貯金が
(屋)(外)(貯蔵)

たくさん…
(タンク)

要領よく 1 割増しよ!
(容量)(110%)

屋外貯蔵タンクの周囲に設ける防油堤の容量は、タンクの容量の 110%以上。

Lesson 15 第1章 危険物に関する法令

各製造所等の基準（3）

Lessonのポイント

- 屋内貯蔵タンクとタンク専用室の壁との間隔は 0.5m 以上。
- 屋内貯蔵タンクの容量は、指定数量の 40 倍以下。
- 地下タンク貯蔵所の頂部は、0.6m 以上地盤面から下に。

屋内貯蔵所と屋内タンク貯蔵所の基準の違い

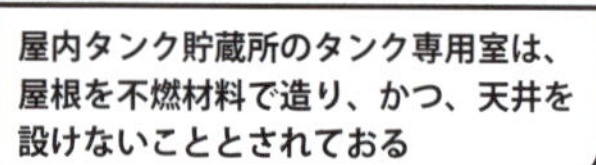

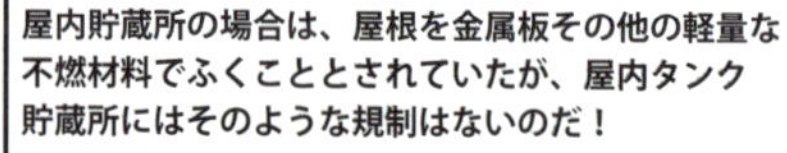

図表で覚えよう！

ここでは、屋内タンク貯蔵所、地下タンク貯蔵所の位置、構造、設備に関する基準のうち、特に重要なものを覚えましょう。なお、屋内タンク貯蔵所、地下タンク貯蔵所には、保安距離・保有空地の規制はありません。

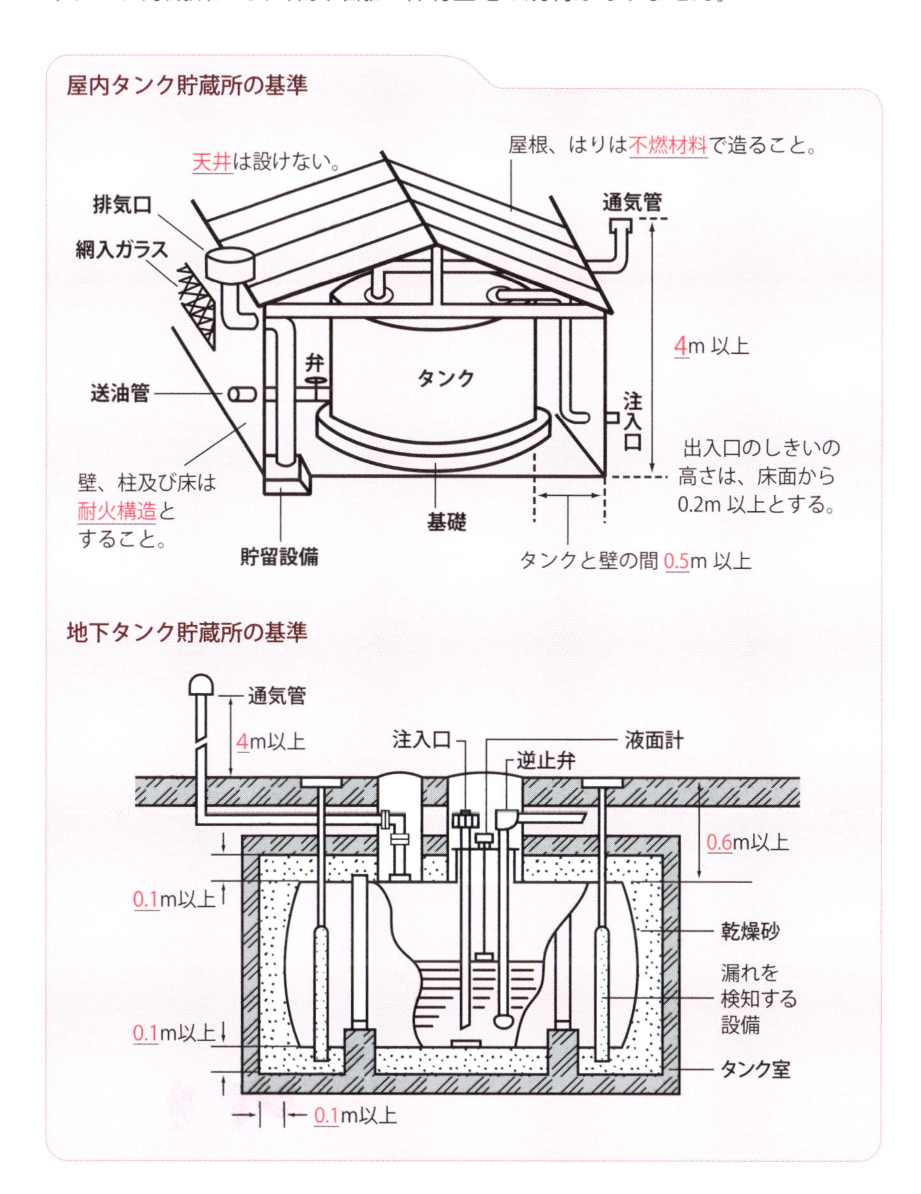

試験に出るポイントはここだ！

ポイント 1 屋内貯蔵タンクは、平家建の建築物に設けたタンク専用室に設置すること

引火点40℃以上の第４類の危険物のみを貯蔵する場合は、平家建以外の建築物に設置してもよい。

ポイント 2 屋内貯蔵タンクとタンク専用室の壁との間には、0.5m 以上の間隔を保つこと

同一のタンク専用室内に屋内貯蔵タンクを２基以上設置する場合は、それらのタンクの相互間にも、0.5m 以上の間隔を保たなければならない。

ポイント 3 屋内貯蔵タンクの容量は、指定数量の 40 倍以下とすること

第４石油類及び動植物油類以外の第４類の危険物を貯蔵する場合は、指定数量の40倍が20000L を超えるときは、20000L 以下にしなければならない。

第２石油類の軽油の指定数量は1000Lで、その40倍は40000Lだが、屋内タンク貯蔵所に貯蔵できるのは20000L 以下というわけだ。

ポイント 4 屋内貯蔵タンクを２基以上設置する場合は、容量の総計を指定数量の 40 倍以下とすること

第４石油類及び動植物油類以外の第４類の危険物を貯蔵する場合は20000L 以下にしなければならない。

ポイント 5 タンク専用室は、壁、柱及び床を耐火構造とし、はりを不燃材料で造ること

また、延焼のおそれのある外壁を、出入口以外の開口部を有しない壁にしなければならない。

ポイント 6 タンク専用室は、屋根を不燃材料で造り、天井を設けないこと

屋内タンク貯蔵所のタンク専用室は、屋根を不燃材料で造り、天井を設けないよう定められている。

天井を設けないのは、危険物の蒸気の滞留を防ぐことなどが目的なんだって。

可燃性の蒸気が屋内に滞留しないように、換気をよくすることが重要なのだ。

ポイント 7 タンク専用室の窓または出入口にガラスを用いる場合は、網入ガラスとすること

屋内タンク貯蔵所のタンク専用室の窓または出入口にガラスを用いる場合は、網入ガラスにしなければならない。

ポイント 8 タンク専用室の床には、貯留設備を設けること

液状の危険物の屋内貯蔵タンクを設置するタンク専用室の床は、危険物が浸透しない構造とするとともに、適当な傾斜を付け、かつ、貯留設備を設けなければならない。

ポイント 9 タンク専用室の出入口のしきいの高さは、床面から 0.2m 以上とすること

タンク専用室の出入口のしきいの高さは、床面から 0.2m 以上にしなければならない。

ポイント 10 地下貯蔵タンクは、原則として、地盤面下に設けたタンク室に設置すること

第 4 類の危険物を貯蔵する場合、条件により地盤面下に直接埋没して設置できる。コンクリートで被覆して地盤面下に埋没する場合もタンク室は不要。

ポイント 11 地下貯蔵タンクの頂部は、0.6m 以上地盤面から下にあること

地下貯蔵タンクの頂部とは、タンク本体の頂部をいう。

ポイント 12 地下貯蔵タンクを 2 基以上隣接して設置する場合は、相互間に 1m 以上の間隔を保つこと

なお、地下貯蔵タンクの容量の総和が指定数量の 100 倍以下であるときは、0.5m 以上の間隔を保たなければならない。

ポイント 13 液体の危険物の地下貯蔵タンクの注入口は、屋外に設けること

また、液体の危険物のタンクには、危険物の量を自動的に表示する装置を設けなければならない。

ポイント 14 地下貯蔵タンクまたはその周囲には、危険物の漏れを検知する設備を設けること

地下貯蔵タンクまたはその周囲には、タンクからの液体の危険物の漏れを検知する、漏えい検査管等の設備を設けなければならない。

ゴロ合わせで覚えよう！

屋内貯蔵所、屋内タンク貯蔵所の基準

記憶ない…。
（屋内）

記憶ないけど、戦車？
（屋内）（タンク）

船やね！
（不燃）（屋根）

添乗員はいません！
（天井）（設けない）

屋内貯蔵所、屋内タンク貯蔵所のタンク専用室は、屋根を不燃材料で造り、天井を設けないこと（屋内貯蔵所は、屋根を軽量な不燃材料でふく）。

Lesson 16 第1章 危険物に関する法令

各製造所等の基準（4）

Lessonのポイント

- 簡易貯蔵タンクは、1基の容量 600L 以下で、3基以内。
- 同一品質の危険物の簡易貯蔵タンクは2基以上設置できない。
- 移動貯蔵タンクの容量は 30000L 以下。

移動タンク貯蔵所

図表で覚えよう！

ここでは、簡易タンク貯蔵所、移動タンク貯蔵所の位置、構造、設備に関する基準のうち、特に重要なものを覚えましょう。なお、簡易タンク貯蔵所には、保安距離の規制はありませんが、屋外に設置するものについては、保有空地の規制があります（p.60 参照）。

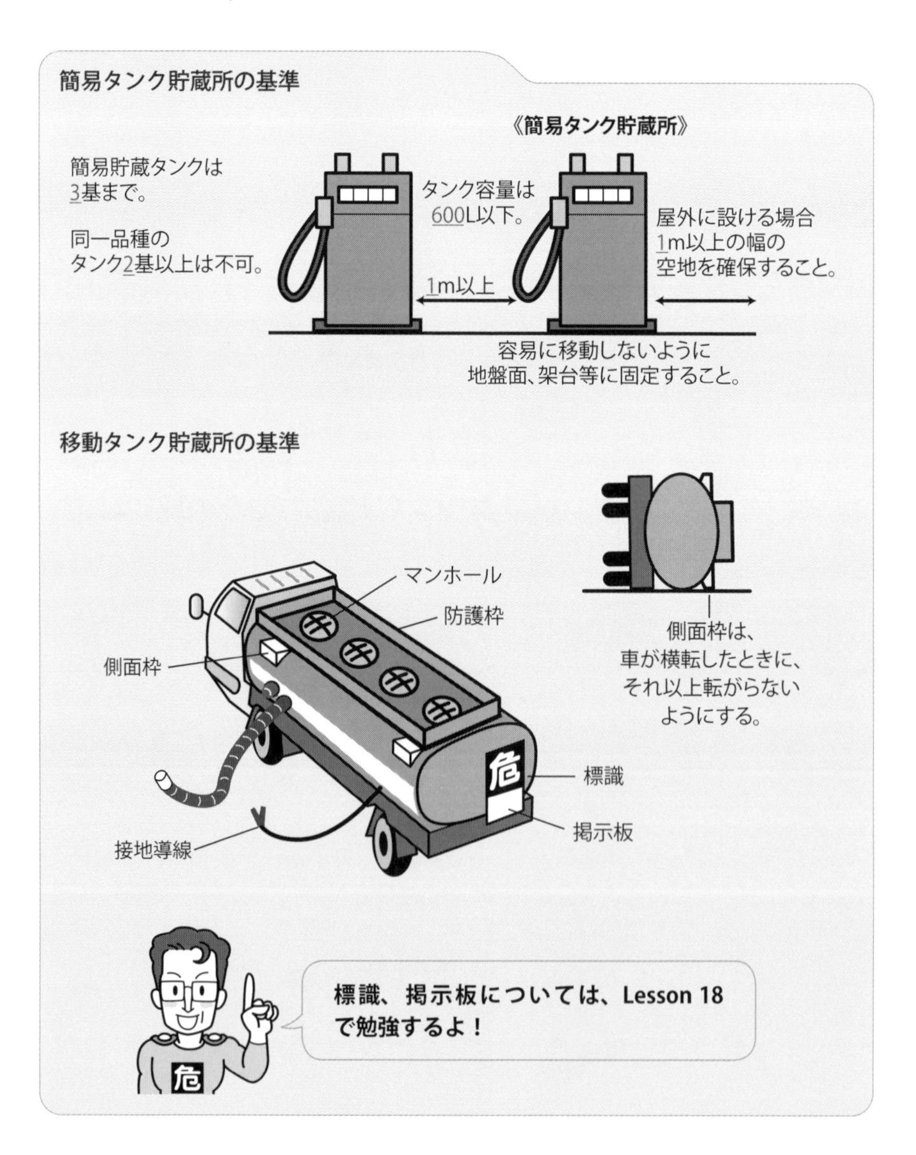

試験に出るポイントはここだ！

ポイント 1 簡易貯蔵タンク１基の容量は、600L 以下

簡易貯蔵タンク１基の容量は、600L 以下とし、１つの簡易タンク貯蔵所に設置する簡易貯蔵タンクは３基以内としなければならない。

ポイント 2 同一品質の危険物の簡易貯蔵タンクを２基以上設置しないこと

１つの簡易タンク貯蔵所には、同一品質の危険物の簡易貯蔵タンクを２基以上設置してはならない。

ガソリン、灯油、軽油のタンクが１基ずつなら、すべて品質が異なるのでOK ね。

ポイント 3 簡易貯蔵タンクとタンク専用室の壁との間には、0.5m 以上の間隔を保つこと

タンク専用室の壁は、耐火構造とする（p.74 参照）。

ポイント 4 簡易貯蔵タンクを屋外に設置する場合は、タンクの周囲に１m 以上の幅の保有空地が必要

簡易タンク貯蔵所に、保安距離の規制はない（p.59 参照）。なお、ポイント③の、簡易貯蔵タンクとタンク専用室との間隔は、保安距離に該当しない。

ポイント 5 簡易貯蔵タンクは、地盤面、架台等に固定する

地盤面、架台等に固定するのは、簡易貯蔵タンクが容易に移動しないようにするためである。

ポイント 6 簡易貯蔵タンクの外面には、さびどめのための塗装をすること

簡易貯蔵タンクの外面には、さびどめのための塗装をしなければならない。また、簡易貯蔵タンクには、通気管を設けなければならない。

ポイント 7 移動タンク貯蔵所の車両は、屋外の防火上安全な場所、または建築物の1階に常置すること

移動タンク貯蔵所の車両は、屋外の防火上安全な場所、または、壁、床、はり及び屋根を耐火構造とし、もしくは不燃材料で造った建築物の1階に常置しなければならない。

ポイント 8 移動貯蔵タンクの容量は、30000L以下とする

移動貯蔵タンクの容量は、30000L以下とし、4000L以下ごとに区切る間仕切板を設けなければならない。容量2000L以上のタンク室には、タンク内の危険物の揺れを抑えるために、防波板を設けなければならない。

ポイント 9 移動貯蔵タンクには安全装置、防護枠、側面枠を設けること

移動貯蔵タンクには安全装置、防護枠、側面枠を設けなければならない。また、移動貯蔵タンクの外面には、さびどめのための塗装をしなければならない。

防護枠には、万一車両が転倒したときに、タンク上部のマンホール等を保護する役割があるんだって！

液体の危険物を積んだタンクローリーは、タンクの中で危険物が動くので、重心が不安定になりやすいのだ。運転は慎重に！

ポイント 10 移動貯蔵タンクの排出口には底弁を設け、手動閉鎖装置及び自動閉鎖装置を設けること

非常の場合には、直ちに底弁を閉鎖できるよう、レバーの長さ15cm以上の手動閉鎖装置及び自動閉鎖装置を設けなければならない。

ポイント 11 静電気による災害が発生するおそれのある移動貯蔵タンクには、接地導線を設けること

ガソリン、ベンゼン等、静電気による災害が発生するおそれのある液体の危険物の移動貯蔵タンクには、接地導線を設けなければならない。

接地導線は、静電気を大地に逃がすための配線。いわゆるアースのことだよ。

ポイント 12 計量棒による計量時の静電気による災害を防止するための装置を設ける

静電気による災害が発生するおそれのある液体の危険物で、計量棒を用いるものはガソリン、ベンゼン等である。

ポイント 13 液体の危険物の移動貯蔵タンクには、結合金具を備えた注入ホースを設けること

結合金具は、真鍮など、摩擦等によって火花を発しにくい材料で造らなければならない。

ゴロ合わせで覚えよう！

簡易タンク貯蔵所の基準

勘いいね、
（簡易貯蔵タンク）

同じ手は二度と
（同一品質）（2基以上）

食わないもの
（設置できない）

1つの簡易タンク貯蔵所には、同一品質の危険物の簡易貯蔵タンクを2基以上設置してはならない。

Lesson 17 第1章 危険物に関する法令

各製造所等の基準（5）

Lessonのポイント

- ●給油取扱所の給油空地は、間口10m以上、奥行き6m以上。
- ●給油取扱所の固定給油設備の給油ホースは、全長5m以下。
- ●販売取扱所は、建築物の1階に設置しなければならない。

給油取扱所の基準

図表で覚えよう！

ここでは、給油取扱所、販売取扱所の位置、構造、設備に関する基準のうち、特に重要なものを覚えましょう。なお、給油取扱所、販売取扱所とも、保安距離・保有空地の規制はありません。

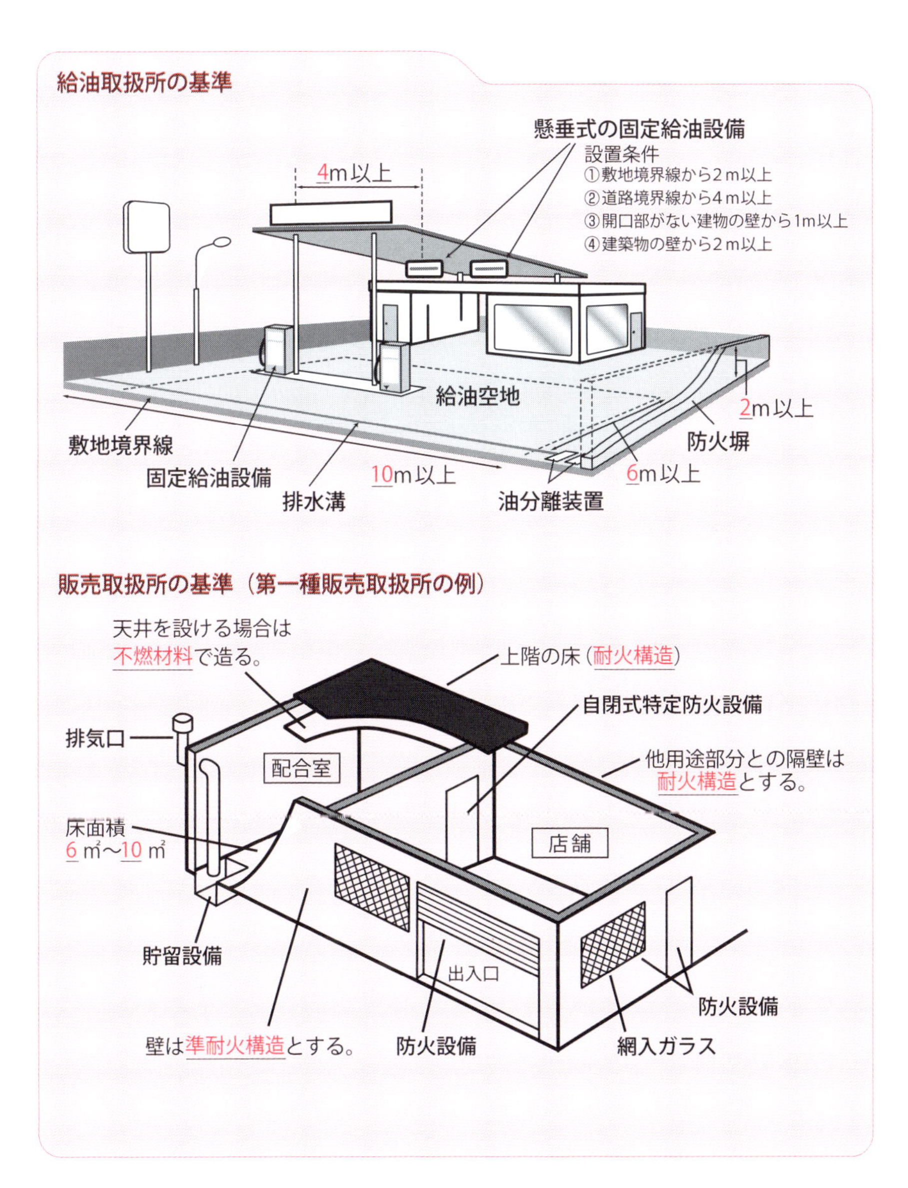

試験に出るポイントはここだ！

ポイント 1 固定給油設備のホース機器の周囲には、間口 10m 以上、奥行き 6m 以上の給油空地を保有すること

給油空地は自動車等に直接給油し、また、給油を受ける自動車等が出入りするために設ける。

固定給油設備は、車にガソリンや軽油を給油するための設備で、地上に設置されたものと、天井から吊り下げられた懸垂式のものがあるよ。

ポイント 2 固定注油設備のホース機器の周囲には、注油空地を保有すること

給油取扱所に容量 4000L 以下のタンクに注入するための固定注油設備を設ける場合は、ホース機器の周囲に注油空地を、給油空地以外の場所に保有しなければならない。

ポイント 3 給油空地、注油空地は舗装し、排水溝、油分離装置等を設けること

給油空地、注油空地には、漏れた危険物が浸透しないための舗装をし、また、液体が流出しないように排水溝、油分離装置等を設けなければならない。

ポイント 4 固定給油設備、固定注油設備の給油ホースは、全長 5m 以下

また、給油ホースまたは注油ホースの先端に蓄積される静電気を有効に除去する装置を設けること。

ポイント 5 給油取扱所に設置できる建築物の用途は、給油またはそれに附帯する業務の他、飲食店、店舗など

給油取扱所に設置できる建築物の用途は、①給油、または灯油もしくは軽油の詰め替えのための作業場、②事務所、③自動車等の点検・整備・洗浄を行う作業場、④給油取扱所の所有者等の住居の他、飲食店、店舗、展示場などがある。

ポイント 6 給油取扱所の建築物は、壁、柱、床、はり及び屋根を**耐火構造**とし、または**不燃材料**で造ること

また、窓及び出入口には防火設備を設けなければならない。

ポイント 7 給油取扱所の周囲には、**塀**、または**壁**を設けること

給油取扱所の周囲には、高さ2m以上の塀、または壁（耐火構造のもの、または不燃材料で造られたもの）を設けなければならない。

ポイント 8 屋内給油取扱所の建築物内には、**病院**、**幼稚園**等を設けてはならない

屋内給油取扱所は、壁、柱、床及びはりが耐火構造で、病院、幼稚園、特別養護老人ホーム等の福祉施設等を有しない建築物に設置しなければならない。

ポイント 9 **顧客**に自ら給油等をさせる給油取扱所には、見やすい箇所にその旨を表示すること

顧客に自ら給油等をさせる給油取扱所とは、セルフスタンドのことである。

ポイント 10 セルフスタンドの給油ノズルは、給油を**自動的**に**停止**する構造のものとする

自動車等の燃料タンクが満量となったときに給油を自動的に停止する。

ポイント 11 セルフスタンドの給油ホースは、著しい引張力が加わったときに安全に分離するものにすること

安全に分離するとともに、分離した部分からの危険物の漏えいを防止できる構造のものにしなければならない。

ポイント 12 販売取扱所は、建築物の 1 階に設置すること

建築物の第一種販売取扱所の用に供する部分は、上階がある場合は上階の床を耐火構造とし、上階のない場合は屋根を耐火構造とし、または不燃材料で造らなければならない。

第二種販売取扱所は、取り扱う危険物の量が多いので、第一種販売取扱所よりもさらに規制がきびしくなっているよ。

第一種販売取扱所は、指定数量の倍数が 15 以下、第二種販売取扱所は 15 を超えて 40 以下でしたね。

ポイント 13 建築物の第一種販売取扱所の用に供する部分は、壁を準耐火構造とすること

第一種販売取扱所の用に供する部分とその他の部分との隔壁は、耐火構造としなければならない。

ポイント 14 建築物の第一種販売取扱所の用に供する部分は、はりを不燃材料で造ること

建築物の第一種販売取扱所の用に供する部分は、はりを不燃材料で造り、天井を設ける場合は、天井も不燃材料で造らなければならない。

ポイント 15 建築物の第一種販売取扱所の用に供する部分の窓及び出入口には、防火設備を設けること

建築物の第一種販売取扱所の用に供する部分の窓及び出入口には、防火設備を設け、窓または出入口にガラスを用いる場合は、網入ガラスにしなければならない。

ポイント 16 販売取扱所において危険物を配合する室の床面積は、6㎡以上 10㎡以下であること

床は、危険物が浸透しない構造とするとともに、適当な傾斜を付け、かつ、貯留設備を設けなければならない。

ポイント 17 販売取扱所において危険物を配合する室の出入口には、自動閉鎖の特定防火設備を設けること

なお、出入口のしきいの高さは、床面から 0.1m 以上としなければならない。

ポイント 18 販売取扱所において危険物を配合する室には、蒸気または微粉を排出する設備を設けること

内部に滞留した可燃性の蒸気または可燃性の微粉を、屋根上に排出する設備を設けなければならない。

危険物を配合する室では、万一、危険物がこぼれた場合に備えなければならないのね。

ゴロ合わせで覚えよう！

給油取扱所に設置できる建築物の用途

さあ、今日も、
（作業所）

自宅で会社でテンポよく
（住居）（事務所）（店舗）

ごはんを食べて見せよう！
（飲食店）（展示場）

給油取扱所に設置できる建築物の用途は、作業場、事務所、給油取扱所の所有者等の住居、店舗、飲食店、展示場などである。

Lesson 18 第1章 危険物に関する法令

標識・掲示板

Lessonのポイント

- ●標識・掲示板の種類を覚えよう。
- ●標識・掲示板の大きさ、地色、文字の色、記載内容を覚えよう。
- ●標識・掲示板を掲げなければならない場所は？

標識と掲示板

図表で覚えよう！

製造所等には、見やすい箇所に危険物の製造所等である旨を表示した標識及び防火に関し必要な事項を掲示した掲示板を設けなければなりません。標識、掲示板とも、大きさ、地色、文字の色、記載内容のすべてが法令により定められています。

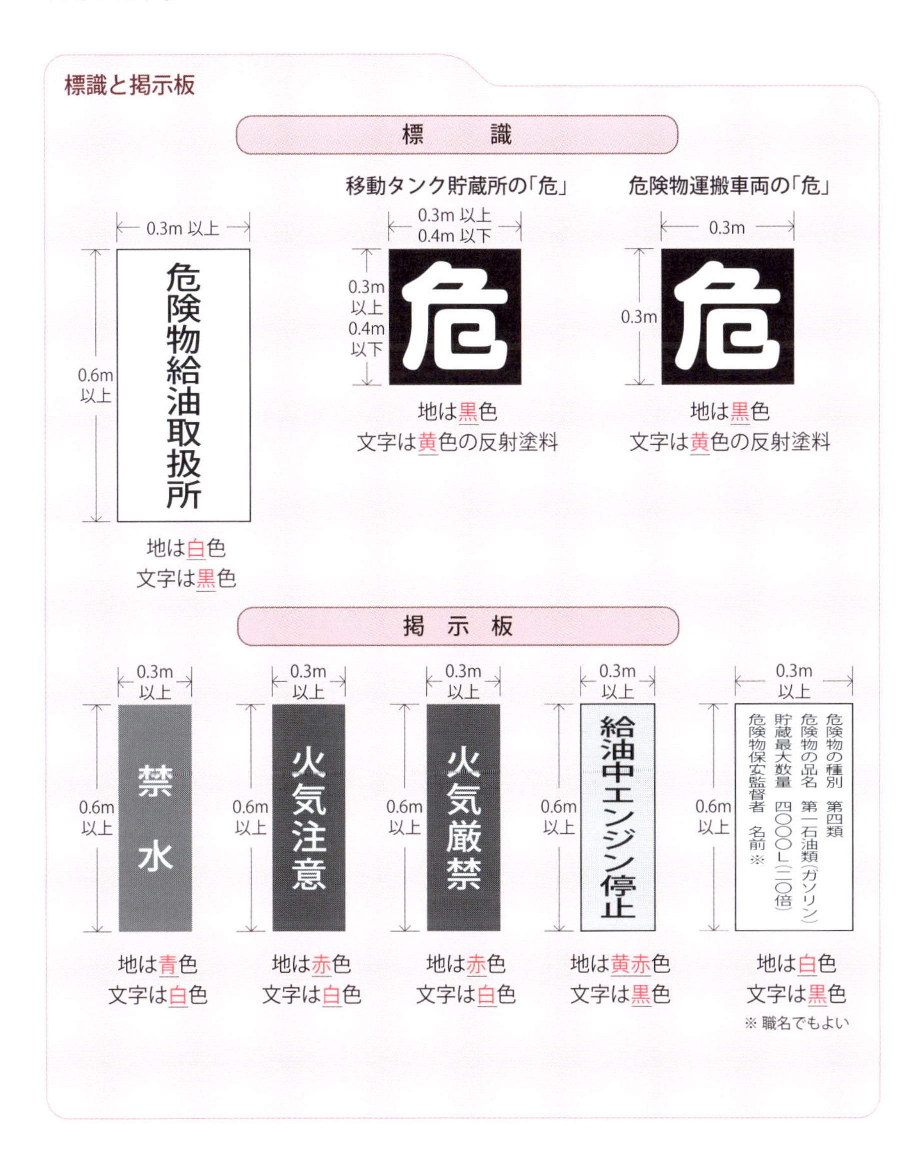

試験に出るポイントはここだ！

ポイント1 製造所等には、標識及び掲示板を設けること

標識には危険物の製造所等である旨を表示し、掲示板には防火に関し必要な事項を掲示する。

ポイント2 製造所等の標識は、幅 0.3m 以上、長さ 0.6m 以上とすること

また、標識の色は、地を白色、文字を黒色とする（移動タンク貯蔵所を除く）。

ポイント3 移動タンク貯蔵所の標識は、一辺 0.3m 以上 0.4m 以下とすること

また、標識は、地が黒色の板に黄色の字で「危」と表示し、車両の前後の見やすい箇所に掲げなければならない。

そういえば、タンクローリーには必ず「危」の字の標識が付いているよね。

ポイント4 指定数量以上の危険物を運搬する車両は、車両の前後に標識を掲げること

標識は、一辺 0.3m の地が黒色の板に黄色の字で「危」と表示する。

ポイント5 掲示板は、幅 0.3m 以上、長さ 0.6m 以上の板とすること

掲示板には、危険物の類、品名、貯蔵最大数量または取扱最大数量、指定数量の倍数を、地を白色、文字を黒色として記さなければならない。

ポイント 6 掲示板には、危険物保安監督者の氏名または職名を表示すること

危険物保安監督者を選任しなければならない製造所等(p.46 参照)の掲示板には、その氏名または職名を表示しなければならない。

ポイント 7 給油取扱所には、「給油中エンジン停止」と表示した掲示板を設けること

掲示板は、地を黄赤色、文字を黒色とする。なお、この掲示板は、危険物の類、品名等を表示する掲示板のほかに設けなければならない。

今度、ガソリンスタンドに行ったらよく注意して見るといい。「給油中エンジン停止」と書かれた掲示板がどこかにあるはずだよ。

ガソリンスタンドは身近に観察できる危険物施設なので、色々と勉強になるわね。

ポイント 8 危険物に応じ、注意事項を表示した掲示板を設けること

危険物によっては、危険物の類、品名、指定数量の倍数等を表示する掲示板のほかに、性状に応じた注意事項を表示した掲示板を設けなければならない。

ポイント 9 アルカリ金属の過酸化物、禁水性物品を貯蔵し、または取り扱う製造所等には「禁水」と表示

「禁水」と表示した掲示板を設けるのは、第 1 類の危険物のうち、アルカリ金属の過酸化物、もしくはこれを含有するもの、または、第 3 類の危険物のうちの禁水性物品を貯蔵し、または取り扱う製造所等である。

ポイント 10 引火性固体を除く第 2 類の危険物を貯蔵し、または取り扱う製造所等には「火気注意」と表示

引火性固体を除く第 2 類の危険物は、硫化りん、赤りん、硫黄、鉄粉、金属粉、マグネシウムである。

ポイント 11 第4類、第5類の危険物等を貯蔵し、または取り扱う製造所等には「火気厳禁」と表示

第2類（引火性固体）、第3類（自然発火性物品）、第4類、第5類の危険物を貯蔵し、または取り扱う製造所等には「火気厳禁」と表示した掲示板を設けなければならない。

ポイント 12 「禁水」と表示する掲示板は、地を青色、文字を白色とすること

アルカリ金属の過酸化物、禁水性物品を貯蔵し、または取り扱う製造所等に掲示する、「禁水」と表示する掲示板は、地を青色、文字を白色にしなければならない。

ポイント 13 「火気注意」または「火気厳禁」と表示する掲示板は、地を赤色、文字を白色とすること

第2類、第3類（自然発火性物品）、第4類、第5類の危険物を貯蔵し、または取り扱う製造所等に掲示する、「火気注意」または「火気厳禁」と表示する掲示板は、地を赤色、文字を白色にしなければならない。

赤の地に白で「火気厳禁」と書かれた掲示板は、いろいろな場所で見かける気がするわ。

ゴロ合わせで覚えよう！

注意事項を表示する掲示板

イン（コース）か？ そういうこったい！
（引）（火）（性固体）

サインのぞいてる…
（除いて）

二塁ランナーに注意！
（第2類）（火気注意）

引火性固体を除く第2類の危険物を貯蔵し、または取り扱う製造所等には「火気注意」と表示しなければならない。

Lesson 19 第1章 危険物に関する法令

消火・警報設備

Lessonのポイント

- 消火設備には、第１種から第５種までの区分があるよ。
- 消火設備の設置方法を覚えよう。
- 消火設備・警報設備の設置基準を覚えよう。

消火設備

図表で覚えよう！

万一火災が発生した場合に備えて、製造所等には消火設備を備えなければなりません。消火設備は、第１種から第５種までの５種類に区分されています。製造所等の区分、規模、危険物の品名、最大数量等により、それに応じた消火設備の設置が義務づけられています。

消火設備の区分

第１種消火設備	屋内消火栓設備　屋外消火栓設備
第２種消火設備	スプリンクラー設備
第３種消火設備	水蒸気消火設備　水噴霧消火設備　泡消火設備 不活性ガス消火設備　ハロゲン化物消火設備 粉末消火設備
第４種消火設備	大型消火器
第５種消火設備	小型消火器　水バケツ　水槽　乾燥砂　膨張ひる石　膨張真珠岩

消火設備の設置方法

第１種消火設備	屋内消火栓設備	各階ごとに、その階の各部分からホース接続口までの水平距離が25m以下になるように設ける。
	屋外消火栓設備	防護対象物の各部分からホース接続口までの水平距離が40m以下になるように設ける。
第２種消火設備	防護対象物の各部分から１つのスプリンクラーヘッドまでの水平距離が1.7m以下になるように設ける。	
第３種消火設備	放射能力に応じて有効に設ける。	
第４種消火設備	防護対象物までの歩行距離が30m以下になるように設ける。	
第５種消火設備	地下タンク貯蔵所 簡易タンク貯蔵所 移動タンク貯蔵所 給油取扱所 販売取扱所	有効に消火できる位置に設ける。
	その他の製造所等	防護対象物までの歩行距離が20m以下になるように設ける。

消火設備の設置基準

消火の困難性による製造所等の区分	設置しなければならない消火設備
①著しく消火が困難と認められる製造所等	第1種、第2種、または第3種 ＋第4種＋第5種（所要単位に応じて）
②消火が困難と認められる製造所等	第4種＋第5種（所要単位に応じて）
③上記以外の製造所等	第5種（所要単位に応じて）
地下タンク貯蔵所	第5種（2個以上）
移動タンク貯蔵所	自動車用消火器のうち、粉末消火器またはその他の消火器を2個以上

所要単位の計算方法

※ 所要単位については p.97 参照。

製造所等の区分・構造等		1所要単位となる数値
製造所 取扱所	耐火構造	延べ面積 100㎡
	不燃材料	延べ面積 50㎡
貯蔵所	耐火構造	延べ面積 150㎡
	不燃材料	延べ面積 75㎡
製造所等の屋外にある工作物	外壁を耐火構造、水平最大面積を建坪と見なして算定	
危険物の数量による基準	指定数量の10倍	

消火器の種類と適応

		建築物	電気設備	危険物の類別										
				第1類		第2類			第3類		第4類	第5類	第6類	
				※1	その他	※2	※3	その他	※4	その他			※5	その他
水消火器（棒状）		○	×	×	○	×	○	○	×	○	×	○	×	○
水消火器（霧状）		○	○	×	○	×	○	○	×	○	×	○	×	○
強化液消火器（棒状）		○	×	×	○	×	○	○	×	○	×	○	×	○
強化液消火器（霧状）		○	○	×	○	×	○	○	×	○	○	○	×	○
泡消火器		○	×	×	○	×	○	○	×	○	○	○	×	○
二酸化炭素消火器		×	○	×	×	×	○	×	×	×	○	×	×	×
ハロゲン化物消火器		×	○	×	×	×	○	×	×	×	○	×	×	×
粉末消火器	リン酸塩類等	○	○	×	○	×	○	○	×	×	○	×	×	○
	炭酸水素塩類等	×	○	○	×	○	○	×	○	×	○	×	○	×
	その他	×	×	○	×	○	×	×	○	×	×	×	○	×

○は適応、×は不適応を示す

※1　アルカリ金属の過酸化物、またはこれを含有するもの　※2　鉄粉、金属粉、マグネシウム、またはこれらのいずれかを含有するもの　※3　引火性固体　※4　禁水性物品　※5　ハロゲン間化合物

試験に出るポイントはここだ！

ポイント 1　製造所等に設置する消火設備は、第1種から第5種に区分されている

製造所等には、その規模、貯蔵し、または取り扱う危険物の品名及び最大数量等に応じて、定められた消火設備を設置しなければならない。

ポイント 2　第1種消火設備は、消火栓

屋内消火栓設備は、各階の各部分からホース接続口までの水平距離が25m以下、屋外消火栓設備は、防護対象物の各部分からホース接続口までの水平距離が40m以下になるように設ける。

ポイント 3　第2種消火設備は、スプリンクラー

スプリンクラー設備は、防護対象物の各部分から1つのスプリンクラーヘッドまでの水平距離が1.7m以下になるように設ける。

ポイント 4　第3種消火設備は、消火剤を放射する固定消火設備

固定消火設備は、放射する消火剤により、水蒸気消火設備、水噴霧消火設備、泡消火設備、不活性ガス消火設備、ハロゲン化物消火設備、粉末消火設備に分かれる。放射能力に応じて有効に設ける。

消火設備が第1種から第5種のどれに該当するかを問う問題は試験によく出るぞ。しっかり覚えておこう！

ポイント 5　第4種消火設備は、大型消火器

大型消火器は、防護対象物までの歩行距離が30m以下になるように設ける。

ポイント 6 第5種消火設備は、小型消火器その他の消火設備

第5種消火設備は、小型消火器、水バケツ、水槽、乾燥砂、膨張ひる石、膨張真珠岩である（設置方法についてはp.94参照）。

ポイント 7 外壁が耐火構造の製造所、取扱所の建築物は、延べ面積100㎡を1所要単位とする

このほかの場合についてはp.95参照。所要単位とは、製造所等に消火設備を設置する場合の基準になる単位である。

ポイント 8 危険物については、指定数量の10倍を1所要単位とする

所要単位は、製造所等で貯蔵し、または取り扱う危険物の数量によっても定められる。

ポイント 9 棒状の水、棒状の強化液、霧状の水を放射する消火器は、第4類の危険物の火災には使用できない

危険物の類別や品名によって、使用できる消火設備は異なる。

霧状の強化液を放射する消火器は、第4類の危険物の火災にも使用できるのね。

各類の危険物に適応する消火器は、p.95の表を見るとわかるよ！

ポイント 10 指定数量の倍数が10以上の製造所等には、警報設備を設置しなければならない

警報設備には、自動火災報知設備、消防機関に報知ができる電話、非常ベル装置、拡声装置、警鐘がある。

ポイント 11 延べ面積 500㎡以上の製造所、一般取扱所には、自動火災報知設備を設置しなければならない

指定数量の倍数が 100 以上の、屋内の製造所、一般取扱所（高引火点危険物のみを 100℃未満の温度で取り扱うものを除く）も同様とする。

高引火点危険物とは、引火点 100℃以上の第 4 類の危険物のことだよ。

ポイント 12 指定数量の倍数が 100 以上の屋内貯蔵所には、自動火災報知設備を設置しなければならない

軒高 6m 以上の平家建の屋内貯蔵所も同様である。なお、高引火点危険物のみを貯蔵し、または取り扱う屋内貯蔵所は除く。

ポイント 13 上部に上階を有する屋内給油取扱所には、自動火災報知設備を設置しなければならない

階層設置（平家建以外）の屋内タンク給油所で、著しく消火困難な製造所等に該当するものも同様とする。

重要用語を覚えよう！

自動火災報知設備

自動火災報知設備とは、火災により発生する熱、煙、または炎を感知器により自動的に感知し、受信機を経由して音響装置を鳴動させ建物内にいる人に火災をしらせる設備である。

警報設備には、自動火災報知設備、消防機関に報知ができる電話、非常ベル装置、拡声装置、警鐘がある。

Lesson 20 第1章 危険物に関する法令

貯蔵・取扱いの基準

Lessonのポイント

- 製造所等で取り扱えるのは、許可もしくは届出された危険物のみ。
- 製造所等で生じる危険物のくず、かす等の処理は 1 日に 1 回以上！
- 給油取扱所で給油するときは、車のエンジンはストップ！

危険物の貯蔵・取扱いの基準

図表で覚えよう！

製造所等において危険物を貯蔵し、または取り扱う場合は、その危険物の数量が指定数量以上であるか以下であるかにかかわらず、法令で定められた技術上の基準にしたがわなければなりません。危険物の貯蔵・取扱いの基準には、すべての製造所等に共通する基準、危険物の類ごとに共通する基準、製造所等の区分により定められた基準などがあります。

危険物の類ごとに共通する基準

類	基準
第1類危険物 （酸化性固体）	・可燃物との接触もしくは混合、分解を促す物品との接近、または過熱、衝撃もしくは摩擦を避ける。 ・アルカリ金属の過酸化物及びこれを含有するものは、水との接触を避ける。
第2類危険物 （可燃性固体）	・酸化剤との接触もしくは混合、炎、火花、高温体との接近、または過熱を避ける。 ・鉄粉、金属粉及びマグネシウム並びにこれらのいずれかを含有するものは、水または酸との接触を避ける。 ・引火性固体は、みだりに蒸気を発生させない。
第3類危険物 （自然発火性物質・禁水性物質）	・自然発火性物品は、炎、火花、高温体との接近、過熱、または空気との接触を避ける。 ・禁水性物品は水との接触を避ける。
第4類危険物 （引火性液体）	・炎、火花もしくは高温体との接近、または過熱を避ける。 ・みだりに蒸気を発生させない。
第5類危険物 （自己反応性物質）	・炎、火花もしくは高温体との接近、過熱、衝撃、または摩擦を避ける。
第6類危険物 （酸化性液体）	・可燃物との接触もしくは混合、分解を促す物品との接近、または過熱を避ける。

危険物の類ごとの特徴は、第3章のLesson 37で勉強するよ！

試験に出るポイントはここだ！

ポイント 1 製造所等では、許可もしくは届出された品名以外の危険物を取り扱ってはならない

また、許可もしくは届出された数量もしくは指定数量の倍数を超える危険物を貯蔵し、または取り扱ってはならない。

ポイント 2 製造所等では、みだりに火気を使用しないこと

製造所等では、みだりに火気を使用してはならない。また、係員以外の者をみだりに出入りさせてはならない。

ポイント 3 製造所等には、みだりに不必要な物件を置かないこと

製造所等では、常に整理、清掃を行うとともに、みだりに空箱その他の不必要な物件を置いてはならない。

ポイント 4 危険物のくず、かす等は、1日に1回以上、廃棄、その他適当な処置をすること

危険物のくず、かす等の廃棄は、安全な場所で行わなければならない。

危険物のくず、かす等の廃棄その他の処置は、1日に1回以上！ これは試験によく出るから覚えておこう。

ポイント 5 設備、機械器具、容器等を修理する場合は、危険物を完全に除去した後に行うこと

危険物が残存し、または残存しているおそれがある設備、機械器具、容器等を修理する場合は、安全な場所において、危険物を完全に除去した後に行わなければならない。

ポイント 6 危険物を保護液中に保存する場合は、危険物が保護液から露出しないようにすること

第３類の危険物に含まれるカリウム、ナトリウムは灯油を、黄りんは水を保護液として貯蔵するよう定められている。

ポイント 7 貯蔵所においては、原則として、危険物以外の物品を貯蔵しないこと

ただし、屋内貯蔵所または屋外貯蔵所において、それぞれを取りまとめて貯蔵し、かつ、相互に1m以上の間隔を置く場合などについては例外規定がある。

ポイント 8 原則として、同一の貯蔵所に、類の異なる危険物を貯蔵しないこと

原則として、類の異なる危険物は、同一の貯蔵所（耐火構造の隔壁で完全に区分された室が２つ以上ある貯蔵所においては、同一の室）において貯蔵してはならない。ただし、ポイント⑨に記す例外規定がある。

ポイント 9 屋内貯蔵所または屋外貯蔵所で、特定の組合せの、類の異なる危険物を貯蔵できる場合がある

特定の組合せ（第１類と第６類など）の危険物を類ごとに取りまとめて貯蔵し、かつ、相互に1m以上の間隔を置く場合等が該当する。

ポイント 10 屋内貯蔵所、屋外貯蔵所で危険物を貯蔵する場合、容器を積み重ねる高さには制限がある

屋内貯蔵所、屋外貯蔵所では、原則として、危険物を容器に収納して貯蔵し、その場合、蓄電池により貯蔵される危険物を貯蔵する場合を除き、3m（例外規定により4m、6mとなる場合あり）の高さを超えて容器を積み重ねてはならない。

ポイント 11 屋内貯蔵所では、容器に収納して貯蔵する危険物の温度が55℃を超えないようにすること

屋内貯蔵所においては、容器に収納して貯蔵する危険物の温度が55℃を超えないように、必要な措置を講じなければならない。

ポイント 12 貯蔵タンクの計量口は、計量するとき以外は閉鎖しておくこと

屋外貯蔵タンク、屋内貯蔵タンク、地下貯蔵タンクまたは簡易貯蔵タンクの計量口は、計量するとき以外は閉鎖しておかなければならない。

ポイント 13 屋外貯蔵タンクの防油堤の水抜口は、通常は閉鎖しておくこと

防油堤の内部に滞油し、または滞水した場合は、遅滞なくこれを排出しなければならない。

ポイント 14 移動タンク貯蔵所には完成検査済証と点検記録を備えること

譲渡または引渡しの届出、取り扱う危険物の品名、数量または指定数量の倍数の変更の届出があるときは、その書類も備えなければならない。

ポイント 15 危険物を焼却する場合は、安全な場所で行い、見張人をつけること

危険物を廃棄する場合に焼却するときは、安全な場所で、かつ、燃焼または爆発によって他に危害や損害を及ぼすおそれのない方法で行う。

廃油などを焼却して廃棄することがあるが、その場合は、見張人をつけて厳重に注意しなければならないのだ。

危険物を燃やしたまま放っておくわけにはいきませんよね。

ポイント16 危険物は、海中、水中に流出、または投下しないこと

危険物を埋没する場合は、性質に応じ、安全な場所で行わなければならない。

ポイント17 給油取扱所において給油するときは、自動車等の原動機を停止させること

また、自動車等の一部または全部が給油空地からはみ出たままで給油してはならない。

ポイント18 移動貯蔵タンクから引火点40℃未満の危険物を注入するときは、原動機を停止させること

なお、原動機とは、自動車等やタンクローリーのエンジンのことをいう。

給油するときはエンジンをとめないと危険だからね。

ゴロ合わせで覚えよう！

屋内貯蔵所における貯蔵の基準

オー、グッナイ！(Good Night!)
(屋)　(内)

陽気なオジサンだっちゅーの!!
(容器)　(収納)

ゴー！ ゴー！
(55℃)

(それ以上テンション上げないで…)
(超えてはならない)

屋内貯蔵所では、容器に収納して貯蔵する危険物の温度が55℃を超えないようにしなければならない。

Lesson 21 第1章 危険物に関する法令 運搬・移送の基準

Lessonのポイント

- 危険物を容器に収納してトラックなどで運ぶのが「運搬」。
- 液体の危険物をタンクローリーで運ぶのは「移送」。
- 運搬の場合は、危険物取扱者は乗車しなくてもよい。

運搬と移送

図表で覚えよう！

危険物を運搬する際は、定められた運搬容器に収納し、運搬容器の外部に、定められた事項を表示しなければなりません。その表示事項の一つが、危険等級です。危険等級は、危険物の危険性の程度に応じた区分で、危険等級 I、危険等級 II、危険等級 III に区分されています。最も危険性が高いのは、危険等級 I の危険物です。

危険物の危険等級

危険等級	類　別	品名等
I	第 1 類	第 1 種酸化性固体の性状を有するもの
	第 3 類	カリウム、ナトリウム、アルキルアルミニウム、アルキルリチウム、黄りん、第 1 種自然発火性物質および禁水性物質の性状を有するもの
	第 4 類	特殊引火物
	第 5 類	第 1 種自己反応性物質の性状を有するもの
	第 6 類	すべて
II	第 1 類	第 2 種酸化性固体の性状を有するもの
	第 2 類	硫化りん、赤りん、硫黄、第 1 種可燃性固体の性状を有するもの
	第 3 類	危険等級 I 以外のもの
	第 4 類	第一石油類・アルコール類
	第 5 類	危険等級 I 以外のもの
III	第 1 類	上記以外のもの
	第 2 類	
	第 4 類	

異なる類の危険物の混載の可否

	第 1 類	第 2 類	第 3 類	第 4 類	第 5 類	第 6 類
第 1 類		×	×	×	×	○
第 2 類	×		×	○	○	×
第 3 類	×	×		○	×	×
第 4 類	×	○	○		○	×
第 5 類	×	○	×	○		×
第 6 類	○	×	×	×	×	

○は可、×は不可を示す

※ 指定数量の 1/10 以下の危険物を運搬する場合は、どの類とも混載できる。

試験に出るポイントはここだ！

ポイント1 危険物の運搬は、運搬容器、積載方法、運搬方法に関する基準に従って行わなければならない

これらの規定は、指定数量未満の危険物を運搬する場合にも適用される。

ポイント2 危険物を運搬する際は、原則として、運搬容器に収納して積載しなければならない

運搬容器は、収納する危険物と危険な反応を起こさないなど、危険物の性質に適応した材質のものを使用しなければならない。

ポイント3 運搬容器の外部には、危険物の品名、危険等級、化学名、数量等を表示して積載すること

また、第4類の危険物のうち水溶性の性状を有するものには「水溶性」と表示しなければならない。

ポイント4 運搬容器の外部には、収納する危険物に応じた注意事項を表示すること

注意事項には、「火気厳禁」「火気注意」「衝撃注意」「火気・衝撃注意」「可燃物接触注意」「禁水」がある。

製造所等の掲示板に表示する注意事項よりも、種類が多いのね。

ポイント5 運搬容器は、収納口を上方に向けて積載すること

危険物を運搬する際は、運搬容器が落下、転倒、もしくは破損しないように積載しなければならない。

ポイント 6 危険物を運搬する際に、類の異なる危険物と混載してはならない場合がある

なお、指定数量の 10 分の 1 以下の危険物を運搬する場合は、どの類とも混載できる。

第 4 類の危険物は、第 1 類、第 6 類の危険物とは混載できないのだ！

第 1 類は酸化性固体で、第 6 類は酸化性液体。それらを、第 4 類の引火性液体と混載すると危険なのね。

ポイント 7 運搬容器を積み重ねる場合は、高さ 3m 以下にすること

危険物を運搬する際に、危険物を収納した運搬容器を積み重ねる場合は、その高さを 3m 以下にしなければならない。

ポイント 8 指定数量以上の危険物を運搬する場合は、車両に標識を掲げること

一辺 0.3m の地が黒色の板に、黄色の字で「危」と表示した標識を、車両の前後の見やすい箇所に掲げなければならない（p.89 参照）。

ポイント 9 危険物を運搬する場合は、危険物取扱者が乗車しなくともよい

危険物を運搬する場合は、法令上は、危険物取扱者が乗車する必要はない。その点は、次のポイント⑩に記す、移動タンク貯蔵所による移送の場合とは異なる。

ポイント 10 移動タンク貯蔵所により危険物を移送する場合は、危険物取扱者が乗車しなければならない

移送する危険物を取り扱うことができる危険物取扱者が、危険物取扱者免状を携帯して乗車しなければならない。

ポイント 11 危険物の移送が長時間にわたる場合は、2人以上の運転要員を確保すること

1人の運転要員による連続運転時間が4時間を超える移送、1人の運転要員による運転時間が、1日当たり9時間を超える移送を行う場合は、原則として、2人以上の運転要員を確保しなければならない。

疲れた状態で運転するのは、事故のもとだもんね。

ポイント 12 危険物の移送中に災害が発生するおそれのある場合は、応急措置を講じ、消防機関に通報すること

災害や事故を防止するための対策等は、p.236参照。

ポイント 13 移動タンク貯蔵所には、完成検査済証、点検記録等の書類を備え付けること

移動タンク貯蔵所の譲渡・引渡しの届出書、品名、数量または指定数量の倍数の変更の届出書があるときは、それらも備え付けなければならない。

ゴロ合わせで覚えよう!

運搬容器の外部に行う表示

悲鳴とともに、
（品名）

危険な闘牛は終了。
（危険）（等級）（数量）

水曜には蚊がくるので注意！
（水溶性）（化学名）（注意事項）

運搬容器の外部には、危険物の品名、危険等級、化学名、数量、注意事項を表示し、第4類の水溶性の危険物には「水溶性」と表示する。

Lesson 22 第1章 危険物に関する法令

行政命令等

Lessonのポイント

- 義務違反に対する措置命令が行われるのはどんな場合か？
- 製造所等の許可の取消しまたは使用停止が命じられる場合は？
- 製造所等の使用停止が命じられる場合は？

法令に違反した場合の措置

図表で覚えよう！

市町村長等が、製造所等の所有者、管理者、または占有者に対して行う行政命令には、義務違反に対する措置命令、製造所等の設置許可の取消し、製造所等の使用停止命令などがあります。

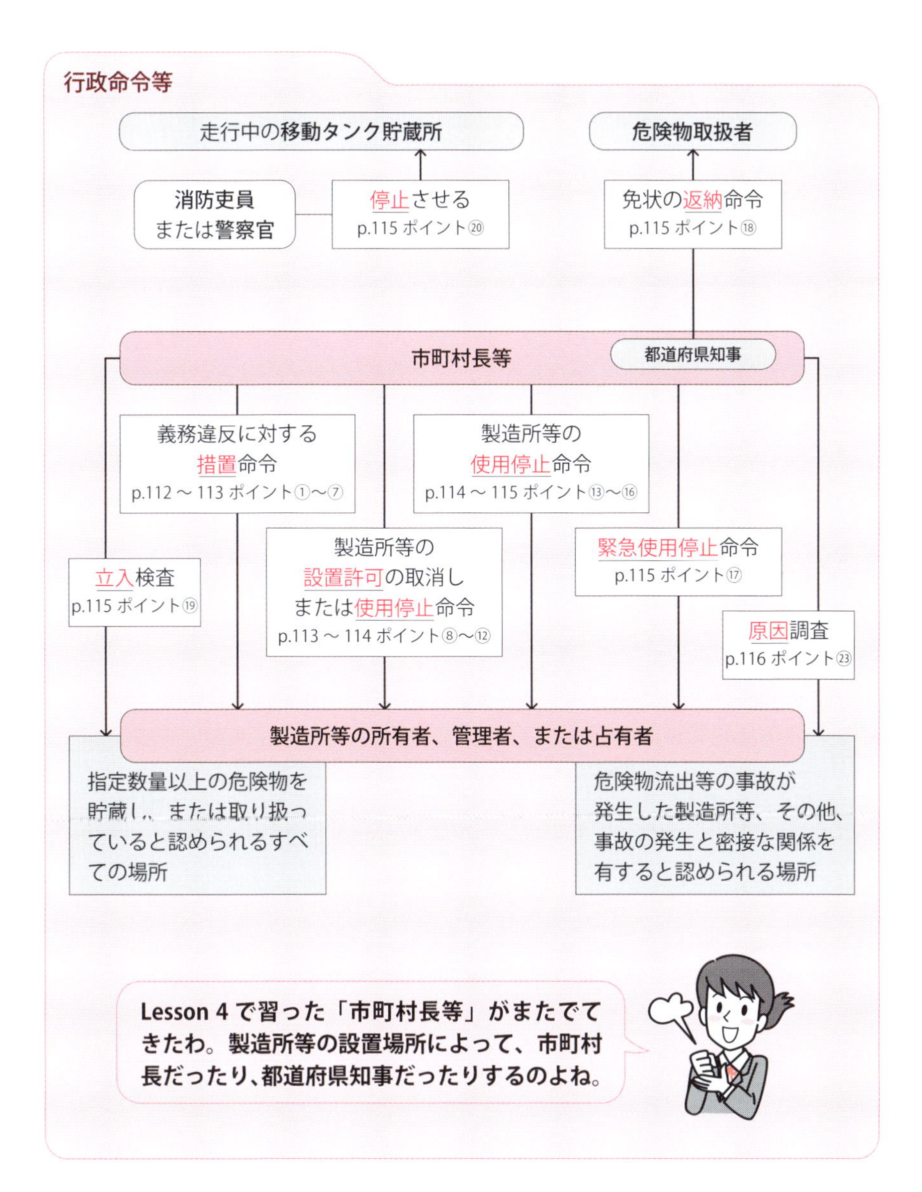

試験に出るポイントはここだ！

ポイント 1 危険物の貯蔵・取扱いの基準に違反しているときは、市町村長等から措置命令を受けることがある

市町村長等は、製造所等で行われる危険物の貯蔵・取扱いが技術上の基準に違反していると認めるときは、製造所等の所有者、管理者、または占有者に対し、基準に従って危険物を貯蔵し、または取り扱うよう命ずることができる。

ポイント 2 製造所等の位置・構造・設備の基準に違反しているときは、措置命令を受けることがある

市町村長等は、製造所等の位置、構造、および設備が技術上の基準に適合していないと認めるときは、製造所等の所有者、管理者、または占有者で権原を有する者に対し、製造所等の修理、改造、または移転を命ずることができる。

「権原」とは、法律用語で「行為を正当化する法律上の原因」という意味なのだ。でも、ここではあまり難しく考えずに、「法律上の権利」と理解しておけばよい。

ポイント 3 市町村長等は、危険物保安統括管理者もしくは危険物保安監督者の解任を命ずることができる

市町村長等は、危険物保安統括管理者もしくは危険物保安監督者が法令に違反したときや、安全の維持、災害の防止のために支障があるときは、製造所等の所有者、管理者、または占有者に対し、それらの者の解任を命ずることができる。

ポイント 4 市町村長等は、火災の予防のため必要があるときは、予防規程の変更を命ずることができる

市町村長等は、火災の予防のため必要があるときは、製造所等の所有者、管理者、または占有者に対し、予防規程の変更を命ずることができる。

ポイント 5 市町村長等は、危険物の流出その他の事故の発生防止のための応急措置を命ずることができる

市町村長等は、危険物の流出等の事故が発生したときに、製造所等の所有者、管理者、または占有者が、引き続く危険物の流出等の事故防止のための応急措置を講じていないと認めるときは、応急措置を講ずるよう命ずることができる。

ポイント 6 市町村長は、移動タンク貯蔵所の事故が発生したときに、応急措置を命ずることができる

市町村長（消防本部及び消防署を置かない市町村の区域においては都道府県知事）は、管轄する区域において、移動タンク貯蔵所からの危険物の流出等の事故が発生したときに、応急措置を講ずるよう命ずることができる。

ポイント 7 市町村長等は、指定数量以上の危険物の貯蔵・取扱いを無許可で行う者に対し、措置命令ができる

市町村長等は、製造所等の設置許可、または仮貯蔵・仮取扱いの承認を受けずに指定数量以上の危険物を貯蔵し、または取り扱っている者に対し、危険物の除去、その他危険物による災害防止のために必要な措置を命ずることができる。

ポイント 8 製造所等の位置・構造・設備を無許可で変更した場合、製造所等の許可を取り消されることがある

市町村長等は、製造所等の所有者、管理者、または占有者が、許可を受けずに製造所等の位置、構造、または設備を変更したときは、製造所等の許可を取り消し、または、期間を定めて使用の停止を命ずることができる。

製造所等の許可の取消しは、期間が定められた使用停止よりも、さらにきびしい処分だね。

その通り。安全にかかわる重大な問題が起きたときに下される処分だからね。

ポイント 9 製造所等を完成検査済証の交付前に使用した場合、製造所等の許可を取り消されることがある

市町村長等は、製造所等の所有者、管理者、または占有者が、製造所等の完成検査を受け、完成検査済証の交付を受ける前にその製造所等を使用した場合は、製造所等の許可を取り消し、または使用の停止を命ずることができる。

ポイント 10 製造所等の位置・構造・設備にかかわる措置命令に違反した場合、許可を取り消されることがある

市町村長等は、製造所等の所有者、管理者、または占有者が、製造所等の位置・構造・設備にかかわる措置命令（ポイント②参照）に違反した場合、製造所等の許可を取り消し、または使用の停止を命ずることができる。

ポイント 11 屋外タンク貯蔵所、移送取扱所の保安検査を受けない場合は、許可を取り消されることがある

政令で定める屋外タンク貯蔵所、または移送取扱所の所有者、管理者、または占有者は、市町村長等が行う保安検査を受けなければならない。違反した場合は、製造所等の許可の取消し、または使用の停止を命じられることがある。

ポイント 12 定期点検の実施、点検記録の作成、保存を行わない場合は、許可を取り消されることがある

市町村長等は、政令で定める製造所等の所有者、管理者、または占有者が、法令により定められた定期点検の実施、点検記録の作成、保存を行わない場合は、製造所等の許可を取り消し、または使用の停止を命ずることができる。

ポイント 13 危険物の貯蔵・取扱い基準の遵守命令に違反すると、製造所等の使用停止を命じられることがある

市町村長等は、製造所等の所有者、管理者、または占有者が、危険物の貯蔵・取扱い基準の遵守命令（ポイント①参照）に違反した場合は、期間を定めて製造所等の使用の停止を命ずることができる。

ポイント 14 危険物保安統括管理者を定めない場合は、製造所等の使用停止を命じられることがある

市町村長等は、政令で定める製造所等の所有者、管理者、または占有者が、危険物保安統括管理者を定めないとき、または、その者に危険物の保安に関する業務を統括管理させていないときは、製造所等の使用の停止を命ずることができる。

ポイント 15 危険物保安監督者を定めない場合は、製造所等の使用停止を命じられることがある

市町村長等は、政令で定める製造所等の所有者、管理者、または占有者が、危険物保安監督者を定めないとき、または、その者に危険物の取扱作業に関する保安の監督をさせていないときは、製造所等の使用の停止を命ずることができる。

ポイント 16 危険物保安統括管理者等の解任命令に違反すると、製造所等の使用停止を命じられることがある

市町村長等は、政令で定める製造所等の所有者、管理者、または占有者が危険物保安統括管理者（または危険物保安監督者）の解任命令（ポイント③参照）に違反した場合は、製造所等の使用の停止を命ずることができる。

ポイント 17 市町村長等は、緊急の必要があると認めるときは、製造所等の使用の一時停止を命じることができる

市町村長等は、公共の安全の維持、または災害の発生の防止のために緊急の必要があると認めるときは、製造所等の所有者、管理者、または占有者に対し、製造所等の使用の一時停止、または使用の制限を命ずることができる。

市町村長等は、法令に違反している場合だけでなく、緊急の必要があるときは、製造所等の使用を停止させることができるのだ。

災害を防ぐことを最優先させるのは当然ですね。

ポイント 18 危険物取扱者が消防法の規定に違反している場合、危険物取扱者免状の返納を命じられることがある

危険物取扱者が消防法の規定に違反しているときは、危険物取扱者免状を交付した都道府県知事は、危険物取扱者免状の返納を命ずることができる。

ポイント 19 市町村長等は、火災防止のため、危険物を取り扱う施設への立入検査を行わせることができる

市町村長等は、火災防止のため必要があると認めるときは、指定数量以上の危険物の貯蔵・取扱いを行っていると認められるすべての場所に対し、消防事務に従事する職員に、立入検査を行わせることができる。

ポイント 20 消防吏員または警察官は、走行中の移動タンク貯蔵所を停止させることができる

消防吏員または警察官は、危険物の移送に伴う火災の防止のため特に必要があると認める場合には、走行中の移動タンク貯蔵所を停止させ、乗車している危険物取扱者に対し、危険物取扱者免状の提示を求めることができる。

ポイント 21 指定数量以上の危険物の貯蔵・取扱いを行い、法令に違反した場合は、罰則規定が適用される

指定数量以上の危険物を貯蔵し、または取扱う者が法令に違反した場合は、罰則規定が適用される（例：指定数量以上の危険物を無許可で貯蔵し、または取り扱った者は、1年以下の懲役または100万円以下の罰金に処される）。

指定数量以上の危険物を取り扱う場合は、万一災害が起きたときの、周囲の安全への影響も大きい。だから、このような罰則規定が定められているのだ。

ポイント 22 製造所等で危険物の流出等の事故が発生したときは、直ちに応急措置を講じなければならない

製造所等の所有者、管理者、または占有者は、製造所等において危険物の流出等の事故が発生したときは、直ちに、引き続く危険物の流出、拡散の防止、流出した危険物の除去などの応急措置を講じなければならない。

ポイント 23 市町村長等は、事故が発生した製造所等について、事故の原因を調査することができる

市町村長等は、製造所等で発生した危険物の流出その他の事故で、火災が発生するおそれのあったものについて、事故の原因を調査することができる。

ゴロ合わせで覚えよう！

製造所等の許可の取消し

そっちの言うこと聞かずに、
（措置）（命令）（違反）

勝手に変えてゴメン。
（無許可）（変更）

貯金できる前に使っちゃった…。
（完成）（前）（使用）

定期預金はまだだけど。許して！ なかったことにして！
（定期検査）（未実施）（許可）（取消し）

製造所等の無許可変更、措置命令への違反、完成検査前使用、定期点検未実施等に該当する場合、製造所等の許可の取消しを命じられることがある。

第2章 基礎的な物理学及び基礎的な化学

第２章では、基礎的な物理学と化学を学びます。試験では、具体的な数値を問われることはあまりなく、その物質の比重や熱伝導率が、ほかの物質と比較して大きいか小さいかなどが問われます。「熱伝導率が小さいほど燃焼しやすい」といった、関連する性質もあわせて覚えるようにしましょう。

学校で勉強した内容も多いはず。間違って覚えていないか、しっかり確認しよう。

引火点と発火点など、似ている用語も多いですね。違いをきちんと覚えなきゃ。

Lesson 23 第2章 基礎的な物理学及び基礎的な化学

物質の状態変化／水

Lessonのポイント

- 蒸発（気化）、凝縮（液化）、融解、凝固、昇華、凝華（昇華）の意味を覚えよう。
- 水の性質を知ろう。
- 潮解と風解の意味を覚えよう。

物理と化学

図表で覚えよう！

一般に、物質は、温度や圧力によって、固体、液体、気体のいずれかの状態になります。この3つの状態を物質の三態といい、温度や圧力が変わると、その状態が変化します。状態変化には、蒸発（気化）、凝縮（液化）、融解、凝固、昇華、凝華（昇華）があり、状態変化が起きるときには、熱が吸収、もしくは放出されます。

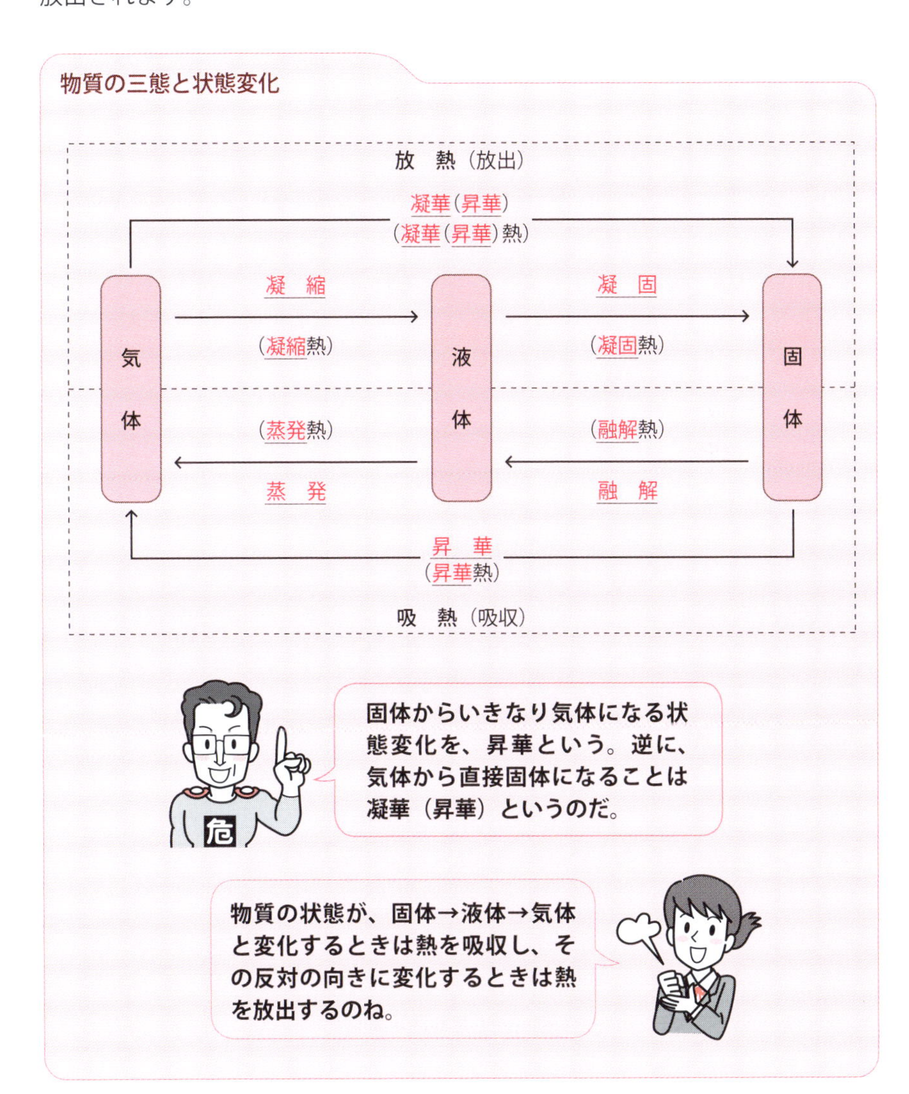

試験に出るポイントはここだ！

ポイント 1 物質の状態は、温度や圧力により変化する

一般に、物質には、固体、液体、気体の 3 つの状態（物質の三態）があり、その状態は、温度や圧力によって変化する。

ポイント 2 固体が液体に変化することを、融解という

融解が起きるときは、熱が吸収される。その熱を融解熱という。圧力が一定ならば、融解が起きる温度は、物質により一定で、その温度を融点という。1 気圧のときの水の融点は 0℃である。

固体の水、つまり氷は、温かい空気に触れると、その熱を吸収して溶け、水になる。これが融解なのです！

ポイント 3 液体が固体に変化することを、凝固という

凝固が起きるときは、熱が放出される。その熱を凝固熱という。圧力が一定ならば、凝固が起きる温度は、物質により一定である。その温度を凝固点という。凝固点は融点に等しい。

ポイント 4 液体が気体に変化することを、蒸発（気化）という

蒸発（気化）が起きるときは、熱が吸収される。その熱を蒸発熱（気化熱）という。

ポイント 5 液体の内部から蒸発が起こり、気泡を発生する現象を沸騰という

圧力が一定ならば、沸騰が起きる温度は、物質により一定で、その温度を沸点という。1 気圧のときの水の沸点は 100℃である。

ポイント 6　沸騰は、液体の飽和蒸気圧が外圧と等しくなったときに起きる

液体の温度の上昇とともに飽和蒸気圧（この場合は、液体の内部に生じる気泡の圧力のこと）は増大し、沸点に達すると沸騰が起きる。

ポイント 7　沸点は、外圧が高いほど上昇する

沸点は、外圧が高いほど高くなり、外圧が低いほど低くなる。一般に、物質の沸点とは、1 気圧における沸点（標準沸点）をさす。

高い山の上では、気圧が低いので水は 100℃以下で沸騰し、圧力鍋の中の水は 100℃を超えても沸騰しないのだ！

高い山の上では、水が低い温度で沸騰してしまうので、ごはんがおいしく炊けないときいたことがあるわ。

ポイント 8　気体が液体に変化することを、凝縮（液化）という

凝縮（液化）が起きるときは、熱が放出される。その熱を凝縮熱（液化熱）という。

ポイント 9　固体が気体に変化することを、昇華という

常温で固体から気体へ変化（昇華）する物質の一つに、ドライアイス（二酸化炭素の固体）がある。また、気体から直接固体になる場合は凝華（昇華）という。

ポイント 10　物質の状態変化が続いている間は、温度は一定である

1 気圧において 0℃の氷を加熱すると、融解して 0℃の水になる。その間に加えられた熱は融解熱として吸収されるので、物質の温度は変化しない。水が沸騰する場合も、沸騰が終わるまで温度は一定（1 気圧では 100℃）である。

ポイント 11 水の体積は、4℃のときに最小となる

水は、酸素原子 1 個と水素原子 2 個からなる物質（H_2O）で、氷（固体）、水（液体）、水蒸気（気体）の三態がある。水の体積は 4℃のときに最も小さく（すなわち、密度が大きく）なる。

水は、4℃のときに体積が最小。つまり、0℃で凝固して固体（氷）になると体積が増えます。実は、これは物質の中では非常にめずらしい性質なんですよ！

よく知っていたな。多くの物質は水とは異なり、液体から固体になると体積が小さく、つまり、密度が大きくなるのだ。

ポイント 12 水は蒸発熱が大きい物質である

水は、蒸発熱や熱容量（p.131 参照）が大きく、水温が上昇し、蒸発する過程で、周囲から大きな熱エネルギーを奪うので、すぐれた冷却効果（p.175 参照）がある。また、水蒸気による窒息効果（p.175 参照）もあり、消火剤として有効である。

ポイント 13 水に食塩を溶かすと、凝固点が低くなる

水に食塩（塩化ナトリウム）などの不揮発性の溶質を溶かした溶液の凝固点は、純粋な水よりも低くなる。この現象を、凝固点降下という。

ポイント 14 水に食塩を溶かすと、沸点が高くなる

水に食塩（塩化ナトリウム）などの不揮発性の溶質を溶かした溶液の沸点は、純粋な水よりも高くなる。この現象を、沸点上昇という。

ポイント 15 水に界面活性剤を添加すると、界面張力が小さくなる

界面活性剤は、溶媒（この場合は水）の界面張力（表面張力）を著しく低下させる性質をもつ物質で、洗剤の主成分である。

ポイント16 水を電気分解すると、酸素と水素になる

水（H_2O）を電気分解すると、酸素（O_2）と水素（H_2）になる。
化学反応式で表すと、$2H_2O \rightarrow 2H_2 + O_2$ となる。

ポイント17 潮解は、固体の物質が空気中の水分を吸収し、その水分に溶ける現象

潮解する性質（潮解性）を有する物質には、塩素酸ナトリウム、過塩素酸ナトリウム、過酸化カリウム、硝酸ナトリウムなどがある。

ポイント18 風解は、結晶水を含む物質を空気中に放置すると、結晶水の一部または全部が自然に失われる現象

風解する性質（風解性）を有する物質には、結晶炭酸ナトリウム、結晶硝酸ナトリウムなどがある。

潮解性、風解性を有する物質は、ビンや缶に入れて、密封して保管しなければならないのだ。

ゴロ合わせで覚えよう！

物質の状態変化

これから駅へ。愉快な旅に
（固体から）（液体）（融解）

行きたいと答える、今日この頃。
（液体から）（固体）（凝固）

北へ行きたい、今日着く駅から。
（気体から）（液体）（凝縮）（液化）

駅から北へ？ 蒸発する気か！
（液体から）（気体）（蒸発）（気化）

固体から液体への変化は融解。液体から固体への変化は凝固。気体から液体への変化は凝縮、または液化。液体から気体への変化は蒸発、または気化。

Lesson 24 第2章 基礎的な物理学及び基礎的な化学

比重と密度／圧力

Lessonのポイント

- 物質の比重、密度の意味を知ろう。
- 気体の蒸気比重は、蒸気の分子量と空気の見かけの分子量の比で表せる。
- ボイル・シャルルの法則を覚えよう。

比重とは？

図表で覚えよう！

物質の密度とは、単位体積当たりの質量のことです。一方、固体または液体の比重とは、その物質の質量と、同体積の1気圧、4℃の純粋な水の質量の比、つまり、物質の密度と、1気圧、4℃の水の密度の比です。気体の比重は蒸気比重といい、0℃、1気圧における、蒸気の密度と空気の密度の比です。

比重と密度

【固体・液体の比重】

$$比重 = \frac{物質の質量}{同体積の1気圧、4℃の純粋な水の質量}$$

【気体の比重（蒸気比重）】

$$蒸気比重 = \frac{蒸気の密度（0℃、1気圧における蒸気1Lの重さ）}{空気の密度（0℃、1気圧における空気1Lの重さ）}$$

$$\fallingdotseq \frac{蒸気の分子量}{空気の見かけの分子量※}$$

※空気の成分を窒素80%、酸素20%とし、窒素の分子量を14、酸素の分子量を16とした場合、空気の見かけの分子量は28.8となる。

主な物質の比重

液体	
物質	比重
水（0℃）	0.99987
水（4℃）	1
エタノール	0.8
ガソリン	0.65～0.75
固体	
物質	比重
氷（0℃）	0.917
塩素酸カリウム	2.3
黄リン	1.82
炭化カルシウム	2.2

気体	
物質	蒸気比重
二酸化炭素	1.53
一酸化炭素	0.97
プロパンガス	1.5
亜硫酸ガス	2.26
エタノール（蒸気）	1.6
ガソリン（蒸気）	3～4
水蒸気	0.62

試験に出るポイントはここだ！

ポイント 1　物質の密度とは、単位体積当たりの質量

物質の密度とは、単位体積当たりの質量のことである。一般に、固体や液体の密度は1㎤当たりの質量で表す。単位はg/㎤である。

ポイント 2　固体または液体の比重は、その物質の密度と、1気圧、4℃の水の密度の比

固体または液体の比重とは、その物質の質量と、同体積の1気圧、4℃の純粋な水の質量の比、つまり、物質の密度と、1気圧、4℃の水の密度の比。単位はない。

1気圧、4℃の水の質量は1gだから、固体や液体の場合、密度と比重の値は同じになる。密度が大きいということと、比重が大きいということの意味も、ほとんど同じと考えていいよ。

※ 現在の1gの定義によると、1気圧、4℃の水の質量は厳密には1gではないが、その誤差はごくわずかである。

ポイント 3　比重が1よりも小さく、水に溶けない物質は、水に浮く

ガソリンは比重約0.7で水に溶けないので、水に浮く。二硫化炭素は比重1.3で水に溶けないので、水に沈む。第4類の危険物の多くは、比重が1より小さい。

ポイント 4　蒸気比重は、0℃、1気圧における、蒸気の密度と空気の密度の比

蒸気比重は、0℃、1気圧におけるその蒸気（気体）の密度と、0℃、1気圧における空気の密度の比である。

ポイント 5　蒸気比重は、蒸気の分子量と空気の見かけの分子量の比で表せる

温度と圧力が一定なら、同体積の気体の分子の数はどの気体でも同じ（アボガドロの法則）なので、分子量の大きい気体ほど蒸気比重が大きい。

ポイント 6 蒸気比重が1よりも大きい気体（蒸気）は、低所に滞留する

蒸気比重が1よりも大きい気体（蒸気）は、低所に滞留し、または低所に流れる。第4類の危険物の蒸気比重は、すべて1よりも大きい。

ポイント 7 圧力とは、単位面積当たりに働く力

圧力の単位はPa（パスカル）。慣用的にはatm（気圧）もよく用いられる。1atm（1気圧）は、約1013hPa（ヘクトパスカル）である。

天気予報によくでてくるhPa（ヘクトパスカル）という単位は、Pa（パスカル）の100倍。つまり、1hPaは100Paだよ。

単位にh（ヘクト）を付けると100倍、k（キロ）を付けると1000倍を表すのだ。M（メガ）は100万倍、G（ギガ）は10億倍だよ。

ポイント 8 温度が一定ならば、気体の体積と圧力は反比例する（ボイルの法則）

温度が一定ならば、気体の体積と圧力は反比例する。すなわち、圧力をp、体積をVとすると、$pV = k$（kは正の定数）の関係が成り立つ。

ポイント 9 圧力が一定ならば、気体の体積は絶対温度に比例する（シャルルの法則）

すなわち、体積をV、絶対温度をTとすると、$V/T = k$（kは正の定数）の関係が成り立つ。絶対温度の単位はK（ケルビン）で、－273℃＝0Kである。

ポイント 10 圧力が一定ならば、気体の体積は温度が1℃上昇するごとに、0℃のときの1/273ずつ増加する

また、圧力が一定ならば、気体の体積は、温度が1℃下降するごとに、0℃のときの体積の1/273ずつ減少する。これは、シャルルの法則を別の言い方で表したものである。

ポイント 11 一定質量の気体の体積は、圧力に反比例し、絶対温度に比例する（ボイル・シャルルの法則）

温度 T_1、圧力 P_1、体積 V_1 だった気体を温度 T_2、圧力 P_2 にしたときに、体積が V_2 になったとすると、$P_1V_1/T_1 = P_2V_2/T_2$ の関係が成り立つ。

ポイント 12 理想気体とは、ボイル・シャルルの法則が完全に成り立つことを想定した仮想の気体である

なお、ボイル・シャルルの法則は、高温、低圧では比較的よく成り立つが、低温や高圧では、厳密には成り立たない場合がある。

ポイント 13 標準状態とは、0℃、1atm の気体の状態

0℃、1atm の気体の状態を、一般に標準状態という。標準状態では、多くの実在の気体を理想気体と見なすことができる。

ポイント 14 混合気体の全圧は、各成分気体の分圧の和に等しい（ドルトンの法則）

混合気体の全圧は、各成分気体が、混合気体と同温で同じ容積を占めた場合に示す圧力（これを各成分気体の分圧という）の和に等しい。

ゴロ合わせで覚えよう！

ボイル・シャルルの法則

圧力鍋が半開き！
（圧力に）　（反比例）

肉は絶対にヒレ！
（絶対温度に比例）

一定質量の気体の体積は、圧力に反比例し、絶対温度に比例する（ボイル・シャルルの法則）。

Lesson 25 熱

Lessonのポイント

- 比熱とは、物質 1g の温度を 1K（1℃）上げるのに必要な熱量。
- 熱の移動の仕方には、伝導、対流、放射がある。
- 熱伝導率が小さい（表面温度が高くなる）物質ほど燃焼しやすい。

比熱とは？

図表で覚えよう！

比熱とは、ある物質1gの温度を1K（1℃でも同じ）上げるのに必要な熱量です。比熱の大きい物質ほど、温まりにくく、冷めにくいといえます。熱伝導率とは、物質の熱の伝えやすさを表す数値です。

主な物質の比熱

固体	
物質	比熱
氷（－23℃）	1.94
アルミニウム（0℃）	0.877
鉄（0℃）	0.437
木材（20℃）	約1.25
コンクリート（室温）	約0.8

液体	
物質	比熱
水（15℃）	4.186
海水（17℃）	3.93
水銀（0℃）	0.14

※比熱の単位はJ/(g・℃)

主な物質の熱伝導率

固体（金属）	
物質	熱伝導率
銀（0℃）	428
銅（0℃）	403
金（0℃）	319
アルミニウム（0℃）	236
亜鉛（0℃）	117
鉄（0℃）	83.5
固体（非金属）	
物質	熱伝導率
木材（18～25℃）	0.14～0.18
アスファルト（常温）	1.1～1.5
コンクリート（常温）	1
氷（0℃）	2.2

液体	
物質	熱伝導率
水（0℃）	0.561
エタノール（80℃）	0.150
トルエン（80℃）	0.119
メタノール（60℃）	0.186
気体	
物質	熱伝導率
空気（0℃）	0.0241
水蒸気（0℃）	0.0158
二酸化炭素（0℃）	0.0145

※熱伝導率の単位はW/(m・K)

試験に出るポイントはここだ！

ポイント 1　比熱とは、ある物質 1g の温度を 1K（1℃）上げるのに必要な熱量をいう

比熱の単位は J/(g・K)、または J/(g・℃) である。比熱の大きい物質は、温まりにくく、冷めにくい。比熱の小さい物質は、温まりやすく、冷めやすい。

ポイント 2　比熱は、質量 1g 当たりの熱容量である

物体の温度を 1K(1℃) 上げるのに必要な熱量を熱容量という。物体の熱容量を C、比熱を c、質量を m とすると、$C = c \cdot m$ である。

水は、比熱の大きい、つまり、温まりにくく、冷めにくい物質だよ。

ポイント 3　物体に出入りする熱量と、物体の熱容量と生じる温度差の積の間に等式が成り立つ

物体に出入りする熱量を Q、物体の熱容量を C、比熱を c、質量を m、生じる温度変化を Δt とすると、$Q = C \cdot \Delta t = c \cdot m \cdot \Delta t$ が成り立つ。

ポイント 4　熱の移動の仕方には、伝導、対流、放射の 3 つがある

熱が物質中を伝わって移動する現象が伝導、温度差による比重の変化によって液体（気体）が移動し、熱を伝える現象が対流、熱せられた物体が熱を放射（ふく射）して他の物体に熱を与える現象が放射（ふく射）である。

ポイント 5　熱伝導率は、物質の熱伝導のしやすさの度合い

一般に、固体は液体より、液体は気体より熱伝導率が大きい。また、金属は非金属よりも熱伝導率が大きい。

ポイント 6 熱伝導率が小さい物質ほど燃焼しやすい

熱伝導率が大きい物質は、熱が逃げやすいので燃焼しにくい。固体を粉末にすると、見かけ上の熱伝導率は小さくなり、燃焼しやすくなる。

ポイント 7 温度が高くなるにつれて物体の体積は増える

一般に、物体の体積は温度が高くなるにつれて増える。この現象を、熱膨張という。

ポイント 8 固体の熱膨張には、線膨張と体膨張の2つのとらえ方がある

固体の場合、熱膨張には、長さの変化に注目する線膨張と、体積の変化に注目する体膨張の2つのとらえ方がある。液体、気体の場合は、体膨張についてのみ考慮する。

ポイント 9 物体の温度が1℃上がったときの体積の増加量と元の体積との比を、体膨張率という

物体の温度がΔt℃上がったときの体積をV、元の体積をV_0、体膨張率をαとすると、$V = V_0(1 + \alpha \cdot \Delta t)$の関係が成り立つ。

ゴロ合わせで覚えよう！

熱伝導率と燃焼のしやすさ

伝統の一戦は、
(熱伝導率)

点差が小さいほど燃える！
(小さいほど)(燃焼しやすい)

可燃性物質では、熱伝導率が小さい（表面温度が高くなる）物質ほど燃焼しやすい。

Lesson 26 第2章 基礎的な物理学及び基礎的な化学

静電気

Lessonのポイント

- 静電気は、異なる物質の接触により生じる。
- 静電気は、電気の不導体に蓄積しやすい。
- 湿度が高いと、静電気が蓄積しにくい。

静電気とは？

図表で覚えよう！

異なる物質が接触し、離れるときに、一方の物質は正の電荷を帯び、もう一方の物質は負の電荷を帯びます。それらの電荷は、物体の表面にとどまって動かないので、そのような状態にある電気を静電気とよびます。静電気が蓄積すると、条件により放電火花が発生し、火災の原因になることがあります。

静電気のしくみ

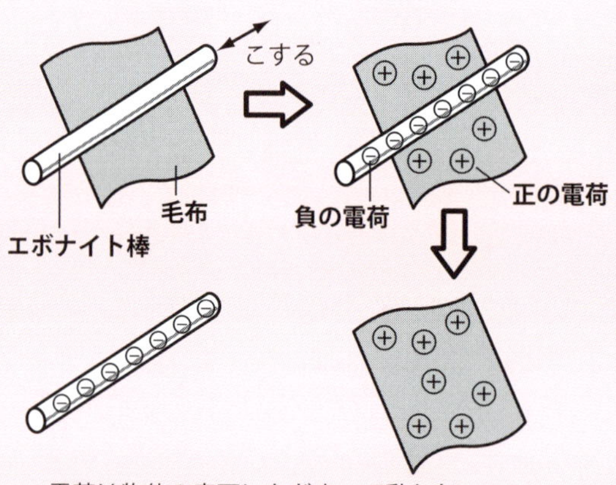

電荷は物体の表面にとどまって動かない。
（静電気が生じている状態）

静電気を帯びた物体から
火花が発生する

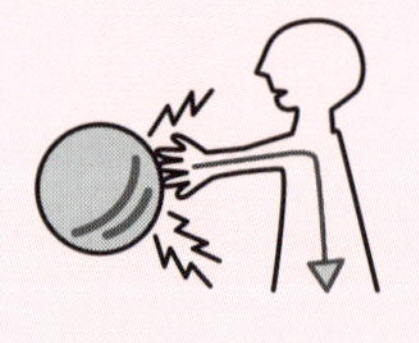

触れると人体に電気が流れ
感電する

普通は、電荷が移動する、つまり電流が流れる現象を電気とよんでいるが、静電気は電荷が動かない状態のことなのだ。

試験に出るポイントはここだ！

ポイント 1 静電気は、異なる物質の接触によって生じる

電気的に絶縁された 2 つの異なる物質が接触して離れるとき、一方の物質は正の電荷を帯び、もう一方の物質は負の電荷を帯びる。それらの電荷は、物体の表面にとどまって動かない。そのような状態にある電気を静電気という。

異なる物質をこすり合わせると、接触がより密接になるので、静電気が生じやすいのだ。

ポイント 2 静電気は、電気の導体よりも不導体に蓄積しやすい

電気をよく通す物質を電気の導体、電気を通しにくい物質を電気の不導体という。なお、導電性の物質も帯電しないわけではない。

ポイント 3 合成樹脂、合成繊維等は帯電しやすい

一般に、有機高分子材料、合成樹脂、合成繊維、石油系の原料、製品などは、物質の絶縁抵抗が大きいことから静電気を帯びやすい。

ポイント 4 静電気は、管内や容器内を液体が流動するときにも発生する

ガソリン、灯油等の危険物がホースの中を流れるときは、静電気が発生しやすいので、流速を制限する必要がある。

ポイント 5 静電気の放電は、可燃性蒸気の着火源になる

蓄積された静電気が何らかの原因により空気中に放電されると、着火源となり、付近に滞留する引火性蒸気等の可燃物に引火し、火災となるおそれがある。

ポイント 6 静電気を蓄積させないためには、静電気を逃がす工夫が必要である

物体に静電気が蓄積するのは、静電気が発生する速度が、静電気が漏洩する速度よりも大きい場合である。

ポイント 7 静電気の蓄積を防ぐには、接地する方法が有効である

静電気が蓄積するおそれのあるものに導線を接続し、接地することにより、静電気の蓄積を防ぐことができる。

ポイント 8 静電気の蓄積を防ぐには、湿度を高くする方法が有効である

室内の湿度を約 75%以上に上げることにより、物体の表面の水分を通して静電気を逃がし、静電気の蓄積を防ぐことができる。

ポイント 9 静電気による火災では、燃焼物に適応した消火方法をとる

静電気が原因となって発生した火災では、燃焼物に適応した消火方法をとることが必要である。

ゴロ合わせで覚えよう！

静電気が蓄積しやすい条件

静かな電気屋に
（静）（電気）

不動のポーズでたまる
（不導体）（蓄積しやすい）

静電気は、電気の導体よりも不導体に蓄積しやすい。

物理変化と化学変化／物質の種類

Lessonのポイント

- 物理変化と化学変化の違いを覚えよう。
- 化合・分解・燃焼・中和は、化学変化。
- 物質には、純物質（単体・化合物）と混合物がある。

化学とは？

図表で覚えよう！

物質の変化は、物理変化と化学変化に大きく分けられます。物理変化とは、物質そのものは変化せず、物質の状態や形だけが変わる変化です。これに対し、化学変化とは、ある物質が元の物質とは異なる物質に変化することをいいます。

物理変化と化学変化

物理変化

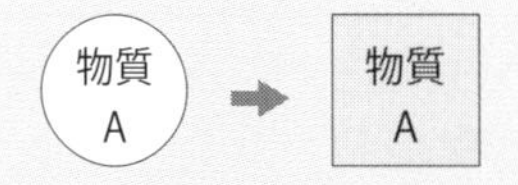

物質そのものは変わらず、物質の状態や形が変わる。

【物理変化の例】
①氷が溶けて水になる。
②ニクロム線に電気を通すと赤くなる。
③ばねを引っ張ると伸びる。
④砂糖が水に溶ける。
⑤静電気が生じる。

化学変化

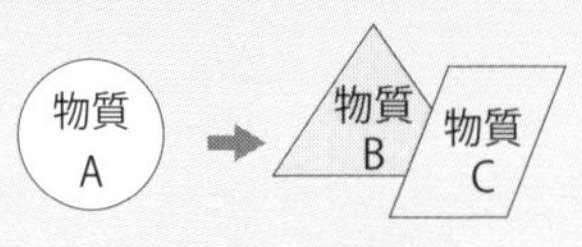

ある物質が、元の物質とは異なる物質に変わる。

【化学変化の例】
①ガソリンが燃焼し、二酸化炭素と水蒸気が生じる。
②鉄がさびる。
③水が電気分解され、水素と酸素になる。
④紙が濃硫酸に触れて黒くなる。

物質の種類

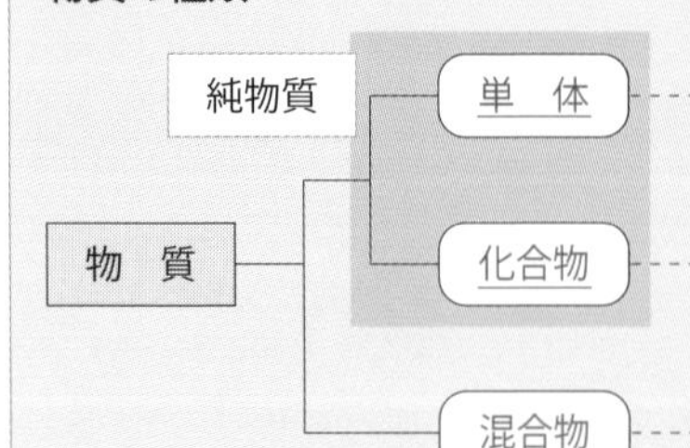

単体：1種類の元素からなる物質
<例> 水素（H_2）、酸素（O_2）

化合物：2種類以上の元素からなる物質
<例> 水（H_2O）、二酸化炭素（CO_2）

混合物：2種類以上の純物質が混ざったもの
<例> 空気、海水、牛乳、ガソリン

単体と化合物は、化学式を見れば簡単に区別できるよ。

試験に出るポイントはここだ！

ポイント 1 物理変化とは、物質そのものは変化せず、物質の状態や形だけが変わること

物理変化とは、物質そのものは同じ物質のままで、物質の状態や形だけが変わる変化である。

ポイント 2 化学変化とは、ある物質が元の物質とは異なる物質に変化すること

化学変化とは、ある物質が元の物質とは性質の異なる、別の物質に変化することをいう。

物理変化は物質の化学式が変わらない変化、化学変化は物質の化学式が変わる変化と言いかえることもできるよ！

ポイント 3 化合、分解、燃焼、中和は化学変化

物質の変化を表す言葉のうち、化合、分解、燃焼、中和は、化学変化を表している。

ポイント 4 融解、凝固、蒸発、凝縮、昇華、凝華（昇華）は物理変化

これらは、物質の状態変化（p.119 参照）を表す言葉で、物質そのものが別の物質に変わるのではない。

ポイント 5 化合とは、2 種類以上の物質から、それらとは異なる物質が生じる化学変化

2 種類以上の物質から、それらとは異なる物質が生じる化学変化を、化合という。水素と酸素が反応して水になる変化は化合である。（$2H_2 + O_2 \rightarrow 2H_2O$）

ポイント 6 分解とは、1つの物質から2種類以上の物質が生じる化学変化

1つの物質（化合物）から2種類以上の物質が生じる化学変化を、分解という。過酸化水素が水と酸素になる変化は分解である。（$2H_2O_2 \rightarrow 2H_2O + O_2$）

ポイント 7 単体とは、1種類の元素からなる物質

水素（H_2）や酸素（O_2）のように、1種類の元素からなる物質を単体という。

ポイント 8 化合物とは、2種類以上の元素からなる物質

水（H_2O）、二酸化炭素（CO_2）のように、2種類以上の元素からなる物質を化合物という。化合物は、他の物質に分解できる。

ポイント 9 単体と化合物を純物質という

純物質とは、単一の成分からなる物質である。単体、化合物は純物質である。純物質でない物質は混合物である。

ポイント 10 混合物とは、2種類以上の純物質が混ざったもの

2種類以上の純物質が混ざったものを、混合物という。自然界の物質の多くは混合物として存在している。

すべての物質は、単体、化合物、混合物のうちのどれかなのね。

まあ、そう考えて差し支えないだろう。正確にいうと、物質には、純物質と、いくつかの純物質が混ざった混合物があり、純物質は、さらに単体と化合物に分かれるのだ。

ポイント 11 空気は、窒素、酸素などからなる混合物

空気は混合物で、その成分は、窒素（N_2）、酸素（O_2）、アルゴン（Ar）、二酸化炭素（CO_2）などである。そのうち、大部分を占めるのが、窒素（約78%）と酸素（約21%）である。

ポイント 12 同じ元素からなる単体で性質の異なるものを、同素体という

酸素（O_2）とオゾン（O_3）、ダイヤモンドと黒鉛、黄リンと赤リンは、同素体の例である。

ちなみに、赤リンは第2類の危険物、黄リンは第3類の危険物だよ。性質が異なるので、異なる類に分類されているのだ！

ポイント 13 分子式が同じで性質の異なる化合物を、異性体という

分子式が同じであっても、分子間の構造が異なるために性質の異なる化合物を、異性体という。

ゴロ合わせで覚えよう！

化学変化を表す用語

ねぇ、焼酎は俺の分かい？
（燃）（焼）（中和）（分解）

嗅ごう！ 嗅ぐのは変か？
（化合）（化学）（変化）

物質の変化を表す言葉のうち、化合、分解、燃焼、中和は、化学変化を表している。

Lesson 28 第2章 基礎的な物理学及び基礎的な化学

酸と塩基

Lessonのポイント

- 酸と塩基の性質を覚えよう。
- pH（水素イオン指数）は、酸性、塩基性の強弱を表しているよ。
- 酸と塩基の中和反応とはどんな反応かな？

酸性と塩基性

図表で覚えよう！

酸と塩基にはいくつかの定義がありますが、2つの代表的な定義を下図に挙げてあります。酸としての性質をもつことを酸性、塩基としての性質をもつことを塩基性（アルカリ性）といいます。水溶液の酸性、塩基性の強弱は、pH（水素イオン指数）という指数で表されます。

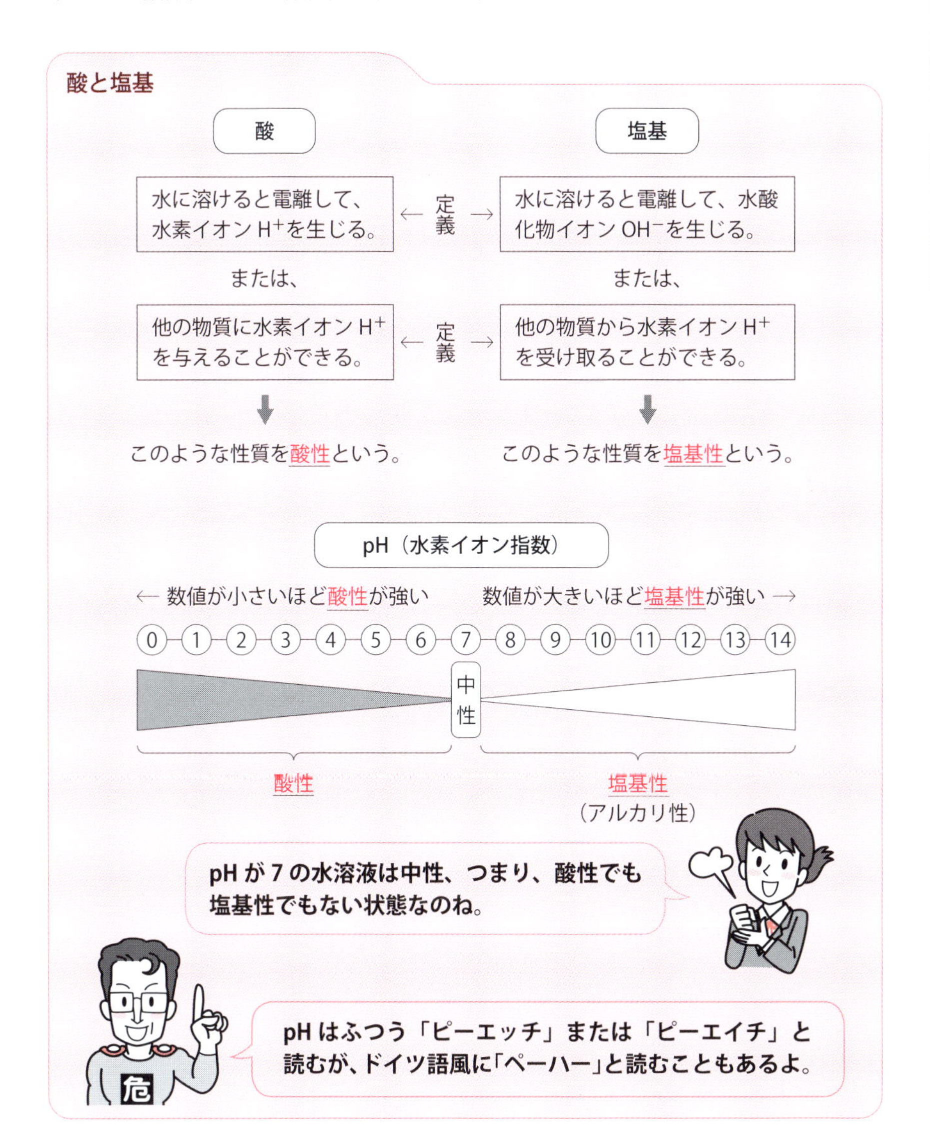

試験に出るポイントはここだ！

ポイント 1 水に溶けると電離し、水素イオン H^+ を生じる物質を酸という

酸とは、水に溶けると電離し、水素イオン H^+ を生じる物質、または、他の物質に水素イオン H^+ を与えることができる物質である。

ポイント 2 水に溶けると電離し、水酸化物イオン OH^- を生じる物質を塩基という

塩基とは、水に溶けると電離し、水酸化物イオン OH^- を生じる物質、または、他の物質から水素イオン H^+ を受け取ることができる物質である。

電離とは、水に溶けたときに陽イオンと陰イオンに分かれることだよ。電離する物質を電解質という。酸や塩基は電解質なのだ。

ポイント 3 酸としての性質をもつことを酸性、塩基としての性質をもつことを塩基性という

物質が酸としての性質をもつことを酸性、塩基としての性質をもつことを塩基性という。塩基性はアルカリ性ともよばれる。

ポイント 4 水溶液の酸性、塩基性の強弱は、pH（水素イオン指数）で表される

水溶液の酸性、塩基性の強弱は、pH（水素イオン指数）という指数で表される。pH は 0 から 14 の間の数値をとる。

ポイント 5 pH が 7 よりも小さい水溶液は酸性、pH が 7 よりも大きい水溶液は塩基性

pH が 7 よりも小さい水溶液は酸性で、数値が小さくなるほど酸性が強い。pH が 7 よりも大きい水溶液は塩基性で、数値が大きくなるほど塩基性が強い。pH が 7 の物質は、酸性でも塩基性でもなく、中性という。

ポイント 6 酸は青色のリトマス紙を赤色に、塩基は赤色のリトマス紙を青色に変色させる

リトマス紙（リトマス試験紙）は、水溶液が酸性であるか、塩基性であるかを判定するときに用いられる。

ポイント 7 塩（えん）は、酸の水素原子を他の陽イオンで（塩基の OH 基を他の陰イオンで）置き換えた構造の化合物

酸の水素原子を他の陽イオンで、あるいは、塩基の OH 基を他の陰イオンで置き換えた構造の化合物を塩（えん）という。塩は、酸と塩基の中和反応のほか、さまざまな化学反応により生成される。

ポイント 8 酸と塩基から塩（えん）と水ができる反応を、中和反応（または、中和）という

塩酸と水酸化ナトリウムの水溶液から塩化ナトリウムと水が生成される反応がその一例。（$HCl + NaOH \rightarrow NaCl + H_2O$）

ゴロ合わせで覚えよう！

pH

ピーッ！
（p）

エッチな話は小さい声で！
（H）　（7より）　（小さい）

賛成！
（酸性）

pH が 7 よりも小さい水溶液は酸性である。

Lesson 29 酸化と還元

Lessonのポイント

- 酸化、還元の定義を覚えよう。
- 酸化反応の例として知られる現象にはどんなものがあるかな？
- 酸化剤、還元剤の意味を覚えよう。

酸化と還元

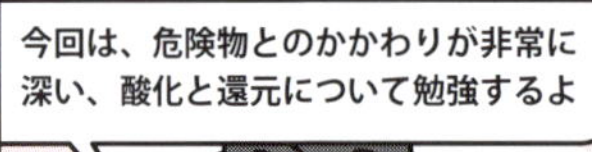

図表で覚えよう！

狭い意味の定義では、物質が酸素と化合する反応を酸化、酸化物が酸素を失う反応を還元といいます。酸化、還元については、より広い定義もなされています。酸化と還元の反応は常に同時に起こり、どちらか一方だけが起こることはありません。そのため、このような反応を酸化還元反応といいます。

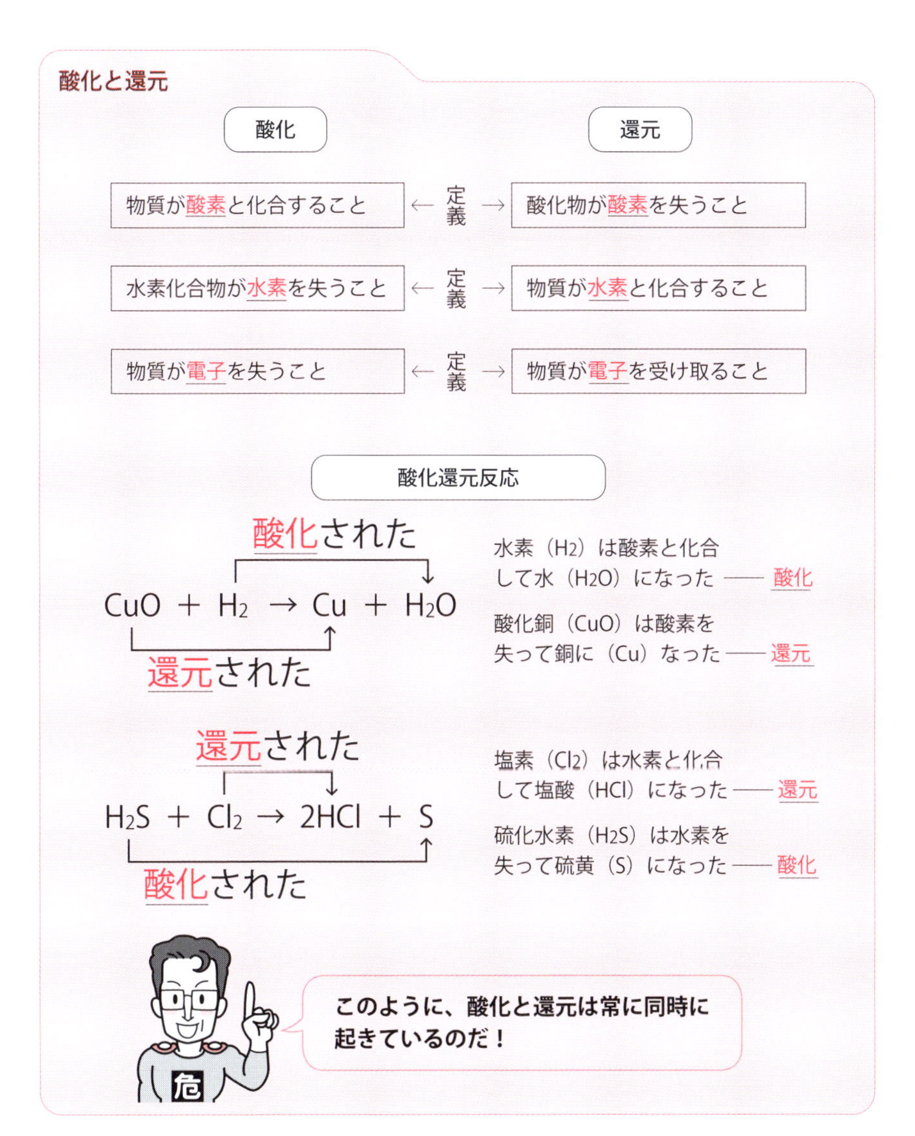

試験に出るポイントはここだ！

ポイント 1 物質が酸素と化合することを酸化、酸化物が酸素を失うことを還元という

酸化、還元の狭い意味の定義によると、物質が酸素と化合することを酸化、酸化物が酸素を失うことを還元という。

ポイント 2 水素化合物が水素を失うことを酸化、物質が水素と化合することを還元という

酸化、還元のより広い意味の定義によると、水素化合物が水素を失うことも酸化といい、物質が水素と化合することも還元という。

ポイント 3 物質が電子を失うことを酸化、物質が電子を受け取ることを還元という

酸化、還元の最も広い意味の定義によると、物質が電子を失うことを酸化といい、物質が電子を受け取ることを還元という（ポイント①の場合も、ポイント②の場合も、この定義に含まれる）。

ポイント 4 酸化と還元の反応は、必ず同時に起こる

酸化と還元の反応は、必ず同時に起こり、どちらかが単独で起こることはない。そのため、このような反応を酸化還元反応という。

ポイント 5 燃焼は、酸化反応である

燃焼とは、通常、物質（可燃物）が酸素と化合して光や熱を出す現象をいう。つまり、燃焼は酸化反応である。

物が燃えるためには酸素が必要なことは、もちろん知っているよね。ならば、燃焼が酸化反応だということも理解しやすいはずだ。

ポイント 6 鉄がさびるのは、酸化反応である

鉄がさびるのは、鉄（Fe）が空気中の酸素と化合して酸化鉄になる現象で、酸化反応の一種である。（例：$4Fe + 3O_2 \rightarrow 2Fe_2O_3$（酸化鉄III・赤さび））

ポイント 7 他の物質を酸化し、自らは還元される物質を酸化剤という

酸化剤になりやすい物質には、酸素（O_2）、過酸化水素（H_2O_2）、塩素酸カリウム（$KClO_3$）、硝酸（HNO_3）などがある。

ポイント 8 他の物質を還元し、自らは酸化される物質を還元剤という

還元剤になりやすい物質には、水素（H_2）、一酸化炭素（CO）、ナトリウム（Na）、カリウム（K）などがある。

ポイント 9 反応する相手によって、酸化剤にも還元剤にもなる物質もある

過酸化水素（H_2O_2）がその一例で、一般に酸化剤になりやすいが、強い酸化剤に対しては還元剤として作用する。

ゴロ合わせで覚えよう！

酸化の定義

母さん母さん、そのカゴ！
（酸）（化）（酸）（素）（化合）

水槽がからっぽ！
（水素）（失う）

電車に乗り遅れる！
（電子）（失う）

酸化は、①物質が酸素と化合すること、②水素化合物が水素を失うこと、③物質が電子を失うこと、と定義される。

金属

Lessonのポイント

- 金属に共通する性質を覚えよう。
- イオン化傾向の大きい金属は、酸化されやすいのだ。
- 鉄はどのような場合に腐食しやすくなるかな？

金属の性質

図表で覚えよう！

物質を構成する基本的な成分を元素といいます。元素は、金属元素と非金属元素に大きく分けることができます。金属元素の単体は、特有の光沢をもち、熱や電気をよく導くなどの、金属としての性質をもっています。

金属原子は、水や水溶液の中で陽イオンになる場合があります。陽イオンになりやすい傾向のことを、イオン化傾向といいます。

金属の特性

<table>
<tr><td rowspan="2">比重</td><td>Pt
21.4</td><td>Au
19.3</td><td>Hg
13.5</td><td>Ag
10.5</td><td>Cu
8.96</td><td>Fe
7.87</td><td>Zn
7.13</td><td>Ba
3.5</td></tr>
<tr><td>Al
2.7</td><td>Mg
1.74</td><td>Ca
1.55</td><td>Na
0.97</td><td>K
0.86</td><td>Li
0.53</td><td></td><td></td></tr>
<tr><td rowspan="2">融点（℃）</td><td>W
3400</td><td>Pt
1700</td><td>Fe
1540</td><td>Cu
1083</td><td>Au
1064</td><td>Ag
962</td><td>Ca
848</td><td>Al
660</td></tr>
<tr><td>Mg
650</td><td>Pb
328</td><td>Na
98</td><td>K
63</td><td>Hg
－39</td><td></td><td></td><td></td></tr>
<tr><td>熱伝導性</td><td colspan="8">Ag ＞ Cu ＞ Au ＞ Al ＞ Mg ＞ Zn ＞ Fe ＞ Ni ＞ Pb ＞ Hg</td></tr>
<tr><td>電気伝導性</td><td colspan="8">Ag ＞ Cu ＞ Au ＞ Al ＞ Mg ＞ Zn ＞ Fe ＞ Sn</td></tr>
</table>

炎色反応	Li	Na	K	Rb	Cs	Ca	Sr	Ba	Cu
	赤	黄	赤紫	赤	青紫	橙赤	紅	黄緑	青緑

Pt：白金　Au：金　Hg：水銀　Ag：銀　Cu：銅　Fe：鉄　Zn：亜鉛　Ba：バリウム
Al：アルミニウム　Mg：マグネシウム　Ca:カルシウム　Na：ナトリウム
K：カリウム　Li：リチウム　W：タングステン　Pb：鉛　Ni：ニッケル　Sn：すず
Rb：ルビジウム　Sr：ストロンチウム　Cs：セシウム

金属のイオン化傾向

<イオン化列>

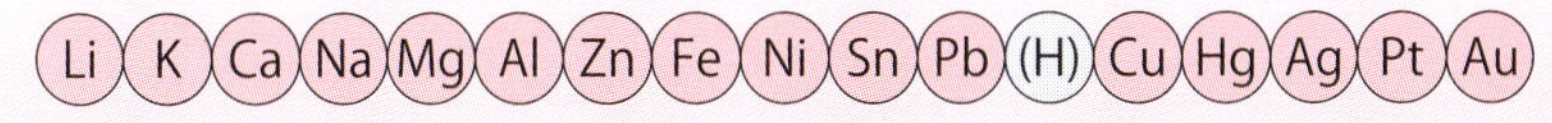

大 ← → 小
イオン化傾向

イオン化列は、金属元素をイオン化傾向の順番に並べたものだよ。主な金属が、イオン化列のどのあたりにあるかを覚えておくと便利なのだ！

試験に出るポイントはここだ！

ポイント 1 金属は常温で固体（水銀を除く）

金属は、一般に常温では固体であり、金属光沢をもち、展性（薄く広げられる性質）、延性（引き伸ばされる性質）に富む。ただし、水銀（Hg）は金属であるが、融点が－39℃で、常温では液体である。

ポイント 2 金属は、融点が高い

金属は、融点が高く、鉄（Fe）の融点は1540℃、銅（Cu）の融点は1083℃である。ただし、常温で液体である水銀のほか、ナトリウム（Na）、カリウム（K）のように、融点が100℃以下のものもある（p.151参照）。

ポイント 3 金属は、比重が大きいものがほとんどである

金属は、比重が大きく、鉄（Fe）の比重は7.87、銅（Cu）の比重は8.96である。ただし、ナトリウム（Na）、カリウム（K）のように、比重が1より小さいものもある（p.151参照）。

ナトリウム、カリウムは、第3類の危険物だったわね。

ポイント 4 比重が4以下の金属を軽金属という

アルミニウム（Al）、マグネシウム（Mg）、カルシウム（Ca）などは代表的な軽金属である。なお、比重が4よりも大きいものを重金属という。

ポイント 5 金属は、熱、電気の導体である

金属は、熱、電気の導体である。炭素以外の非金属は、熱、電気の不導体である。

ポイント 6 いくつかの金属元素は、その元素特有の炎色反応を示す

いくつかの金属元素は、バーナーの炎に近づけたときに、炎の色をその元素に特有の炎色に変化させる。これを炎色反応という（p.151 参照）。

ポイント 7 金属原子が水、または水溶液中で陽イオンになる傾向をイオン化傾向という

金属元素をイオン化傾向の大きい順に並べた列をイオン化列という（p.151 参照）。

ポイント 8 水素よりイオン化傾向の大きい金属は、酸に溶けて水素を発生する

亜鉛（Zn）や鉄（Fe）など、水素よりイオン化傾向の大きい金属は、塩酸などの酸に溶けて水素を発生する。

陽イオンになるということは、電子を失うこと、つまり、酸化されるということです。つまり、イオン化傾向が大きい金属は、酸化されやすいのです。

p.151 のイオン化列の表で、水素より右にあるのは、銅、水銀、銀、白金、金の 5 つ。それ以外は水素よりイオン化傾向が大きいのだ。

ポイント 9 鉄は、水分のある場所では腐食しやすい

鉄は、乾燥した空気中ではほとんど腐食しないが、水分があると腐食しやすくなる。水分が表面に付着すると、鉄はイオンになり、水と、水中に溶けている酸素、鉄の電子などの間で反応が進み、鉄が酸化されてさびが生じる。

ポイント 10 酸性の強い土中などでは、酸により鉄が腐食する

酸性域の水中では、水素イオン濃度が高い（酸性が強い）ほど腐食が進む。

ポイント 11 乾いた土と湿った土の境では、鉄が腐食しやすい

鋼製の配管がコンクリートと土壌を貫通している場所も、腐食の影響を受けやすい。

ポイント 12 異なる金属を接合すると、鉄の腐食が促進される

ただし、鋼管などの鉄の製品とマグネシウム、アルミニウム、亜鉛などを接続すると、鉄は逆に防食作用を受ける。

マグネシウム、アルミニウム、亜鉛は、いずれも鉄よりもイオン化傾向が大きい金属なのだ！

ポイント 13 直流駆動電車の軌道に近い土中では、鉄が腐食しやすい

直流駆動電車の軌道に近い場所では、迷走電流により、土中にある鉄の腐食が進行する。

ゴロ合わせで覚えよう！

イオン化列

リッチな人に借りた軽石
(リチウム)　(カリウム)(カルシウム)

納豆うまくね？ ある意味で
(ナトリウム)(マグネシウム)(アルミニウム)

会えない日には、徹夜で日記
(亜鉛)　(鉄)　(ニッケル)

ズーズー弁、なまりキツいぞ！
(すず)　(鉛)　(水素)

どう、最近？ 銀のブラしながら筋トレ？
(銅)　(水銀)　(銀)　(プラチナ＝白金)　(金)

金属元素をイオン化傾向の大きいものから順に並べた、イオン化列の順序(p.151参照)。

Lesson 31 有機化合物

Lessonのポイント

- 有機化合物とは、炭素を含む化合物のこと！
- 有機化合物は、一般に水に溶けにくく、融点や沸点が低い。
- 官能基と有機化合物の組み合わせを覚えよう。

有機化合物とは？

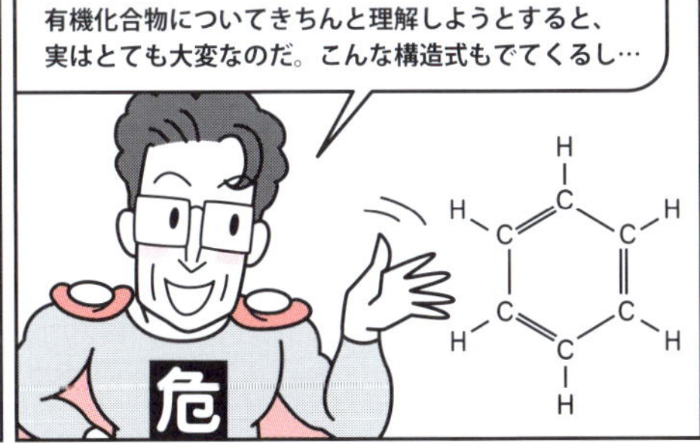

図表で覚えよう！

有機化合物とは、炭素（C）を含む化合物の総称ですが、一酸化炭素（CO）、二酸化炭素（CO_2）、炭酸塩などは、慣例として有機化合物に含めません。有機化合物以外の化合物は、無機化合物といいます。

※炭酸塩とは、炭酸（H_2CO_3）の水素原子が金属に置き換わった塩をいう。

官能基による有機化合物の分類（一部）

官能基	同族体の名称	代表的な化合物	化学的性質
ヒドロキシ基 －OH	アルコール	エタノール	中性・親水性
ヒドロキシ基 －OH	フェノール類	フェノール	酸性
カルボニル基 ＞CO：ホルミル基（アルデヒド基）－CHO	アルデヒド	アセトアルデヒド	親水性・還元性
カルボニル基 ＞CO：ケトン基	ケトン	アセトン	中性
カルボキシ基 －COOH	カルボン酸	酢酸	酸性・親水性
ニトロ基 －NO_2	ニトロ化合物	ニトロベンゼン トリニトロトルエン	中性・疎水性
アミノ基 －NH_2	アミン	アニリン	塩基性・親水性

※カルボニル基（＞C＝O）の片方に水素、片方に炭化水素基が付いた形の化合物がアルデヒド、カルボニル基（＞C＝O）に2個の炭化水素基が付いた形の化合物がケトンである。カルボニル基をもつこれらの化合物を総称して、カルボニル化合物という。

※アミノ酸は、アミノ基とカルボキシ基をあわせもつ化合物である。

同じ官能基をもつ有機化合物は、どれも共通した化学的性質をもっているのだ。

親水性とは、水と結びつきやすく、水に溶けやすい性質。疎水性はその反対だよ。

試験に出るポイントはここだ！

ポイント 1　有機化合物は、炭素を含む化合物

有機化合物とは、炭素（C）を含む化合物である。ただし、一酸化炭素（CO）、二酸化炭素（CO_2）、炭酸塩などを除く。

ポイント 2　有機化合物の主な成分は、炭素、水素、酸素、窒素

有機化合物の主な成分は、炭素（C）、水素（H）、酸素（O）、窒素（N）である。硫黄（S）、リン（P）などが含まれるものもある。

ポイント 3　有機化合物は、燃焼すると二酸化炭素と水を生じる

有機化合物は、一般に可燃性で、空気中で燃焼すると、二酸化炭素（CO_2）と水（H_2O）を生じる。

ポイント 4　有機化合物は、一般に水に溶けにくい

有機化合物は、一般に水に溶けにくく、アルコール、アセトン、ジエチルエーテルなどの有機溶媒によく溶ける。

ポイント 5　有機化合物は、一般に融点や沸点が低い

有機化合物には、融点や沸点が低いものが多い。また、有機化合物は、一般に反応速度が小さく、反応機構が複雑である。

第４類の危険物は、有機化合物か、有機化合物を含む混合物なのだ！

ポイント 6 有機化合物には、鎖状構造のものと環状構造のものがある

多くの炭素原子が結合した有機化合物には、炭素原子が鎖状につながった鎖状構造のものと、炭素原子が環状につながった環状構造のものがある。

ポイント 7 炭素と水素のみからなる有機化合物を、炭化水素という

炭素と水素のみからなる有機化合物を、炭化水素という。石油は、炭化水素を主成分とする混合物である。

ポイント 8 炭化水素と結合すると特有の化学的性質を与える原子団を、官能基という

同じ官能基をもつ有機化合物は、共通の化学的性質を示すので、同族体とよばれる（p.156 参照）。

p.156 の表で、官能基と代表的な化合物の組み合わせを覚えておこう。

重要用語を覚えよう！

基

基とは、有機化合物の分子を構成する成分になっているひとまとまりの原子の集団（原子団）で、化学反応の際には、ひとまとまりのまま移動し、他の化合物の成分になることが多い。

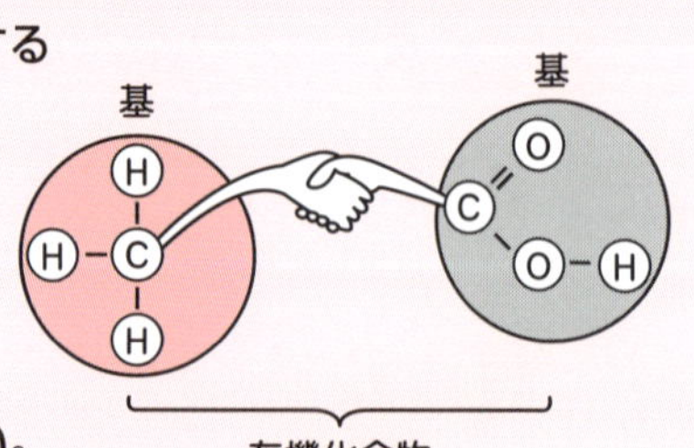

有機化合物の化学的性質を特徴づける基を、官能基という。

Lesson 32 燃焼

- ●燃焼とは、熱と光の発生を伴う酸化反応なのだ。
- ●燃焼の三要素は、可燃物、酸素供給体、熱源である。
- ●可燃性物質、酸素供給体とはどのようなものか？

燃焼とは？

図表で覚えよう！

物質が酸素と化合することを酸化といい、酸化反応の結果として生成された物質を酸化物といいます。条件によっては、酸化反応が、急激に、著しい発熱と発光を伴って起きることがあり、そのような酸化反応を燃焼といいます。

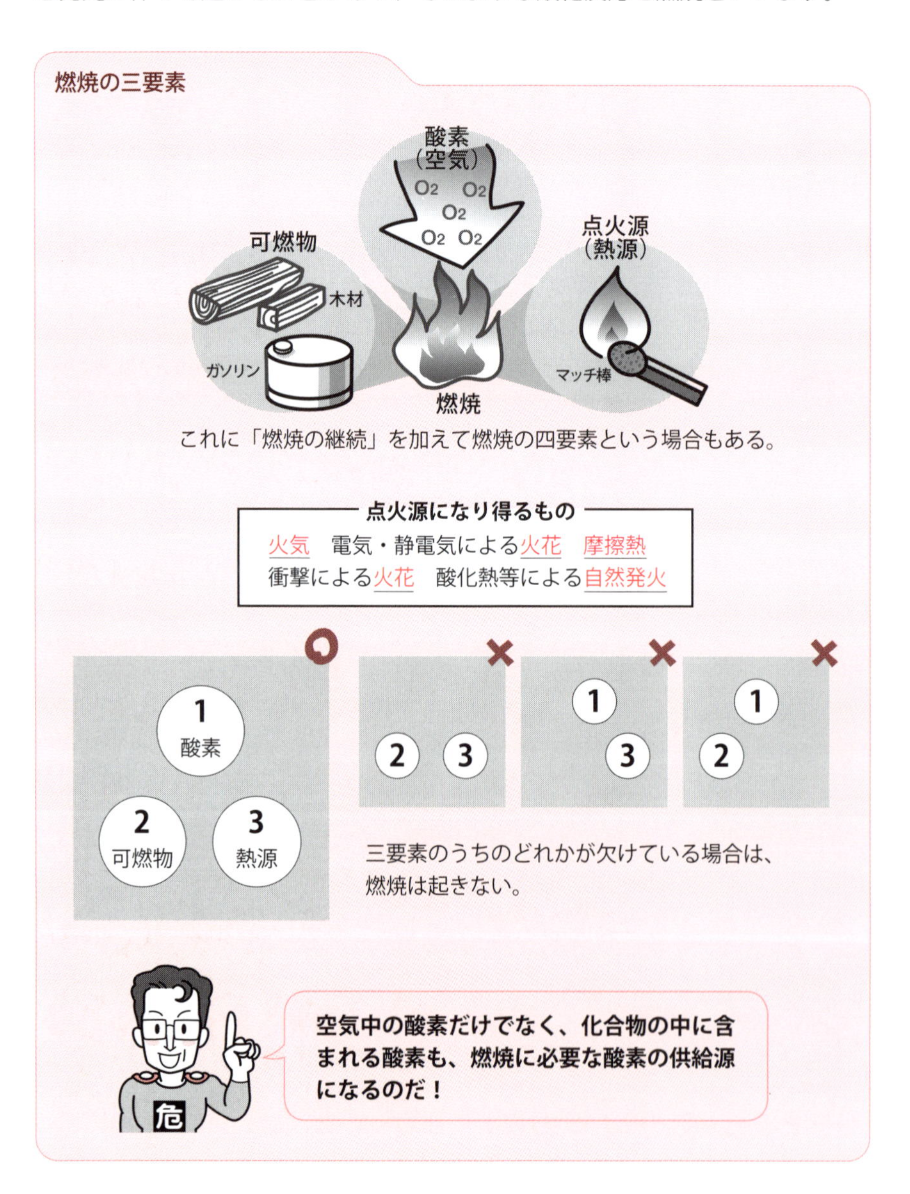

試験に出るポイントはここだ！

ポイント 1 燃焼は、熱と光の発生を伴う酸化反応

酸化反応のうち、著しい発熱と発光を伴うものを燃焼という。鉄がさびる現象は酸化反応であるが、発光を伴わないため燃焼とはいわない。

ポイント 2 燃焼の三要素は、可燃物、酸素供給体、熱源

燃焼に必要な三要素は、可燃物（可燃性物質）、空気などの酸素供給体、熱源（点火エネルギー、点火源ともいう）である。燃焼が起きるためには、この三要素が同時に存在することが必要である。

ポイント 3 可燃性物質とは、酸化されやすい物質

可燃性物質の数はきわめて多く、酸化されやすい物質すべてが含まれる。有機化合物の大部分は可燃性物質で、木材、石炭、ガソリン、メタンガスなどは、特に燃焼しやすい物質である。

ポイント 4 可燃物が燃焼すると、より安定な酸化物に変わる

可燃物は、燃焼すると、より安定な酸化物に変化する。二酸化炭素（CO_2）のように、それ以上酸化しない物質は、燃焼しない（可燃物でない）。

化学的に安定な物質は、他の物質と反応しにくい物質のことなんだね。

ポイント 5 燃焼には、限界酸素濃度以上の酸素が必要

限界酸素濃度は可燃性物質の種類によって異なるが、二酸化炭素を添加して消火する際は、通常、酸素濃度を 14 ～ 15%以下にする必要がある。

ポイント 6 最も一般的な酸素供給体は、空気である

空気には約21%の酸素が含まれており、燃焼に必要な酸素の供給源として最も一般的である。

ポイント 7 酸素を含む化合物が酸素供給体になることもある

第1類、第6類の危険物の多くは、自らは不燃性であるが、分子構造中に酸素を含み、分解により酸素を放出することにより、酸素供給体となって周囲の可燃物の燃焼を促進する。

ポイント 8 有機化合物が完全燃焼すると二酸化炭素が、不完全燃焼となった場合は、一酸化炭素が生成する

有機化合物が完全燃焼すると二酸化炭素（CO_2）と水（H_2O）が生じるが、酸素の供給が不足し、不完全燃焼となった場合は、生成物に、一酸化炭素（CO）や、すす、アルデヒドの割合が多くなる。

一酸化炭素は、無色・無臭だが、人体にとっては猛毒なのだ。火災が起きたときは、煙に含まれる一酸化炭素を吸い込まないように、なるべく姿勢を低くしよう。

ゴロ合わせで覚えよう！

燃焼の三要素

年商３億よ。嘘！
（燃焼三）（要素）

金は無さそうねっ！
（可燃物）（酸素）（熱源）

燃焼の三要素は、可燃物、酸素供給体、熱源。

燃焼の仕方／燃焼の難易

Lessonのポイント

- 気体、液体、固体それぞれの燃焼の仕方を覚えよう。
- 固体の燃焼の仕方には、いくつかの種類があるぞ。
- 燃焼の難易にかかわる条件を覚えよう。

液体の燃焼の仕方

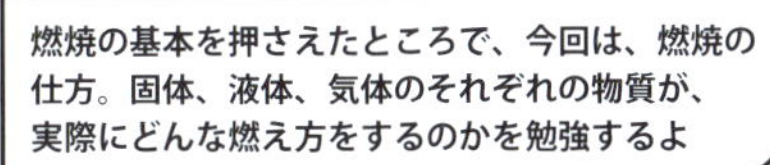

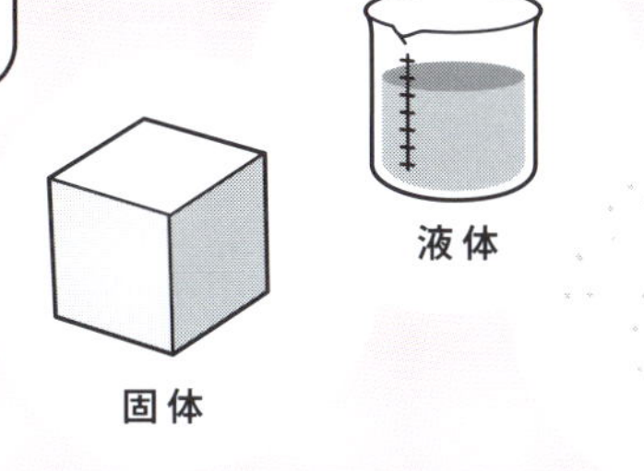

図表で覚えよう！

可燃物には、常温で気体のもの、液体のもの、固体のものがあり、それぞれの状態に応じた燃焼の仕方をします。固体の燃焼は、蒸発燃焼、表面燃焼、分解燃焼（自己燃焼を含む）に分かれます。

気体の燃焼

可燃性の気体は、酸素供給体である空気と一定の範囲の割合で混合している場合にのみ燃焼する。

●＝可燃性の気体　●＝空気中の酸素

燃焼しない

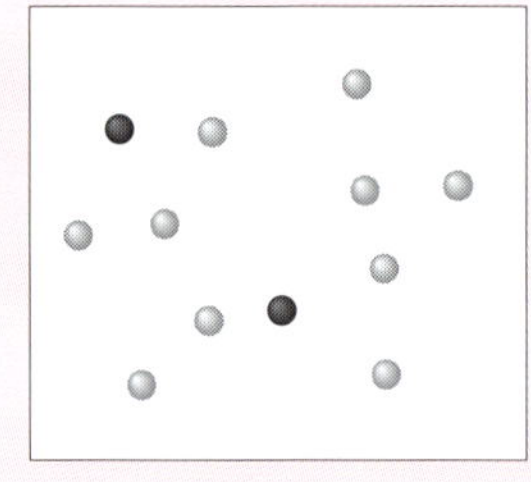

可燃性の気体の濃度が薄すぎると燃焼しない。

燃焼する

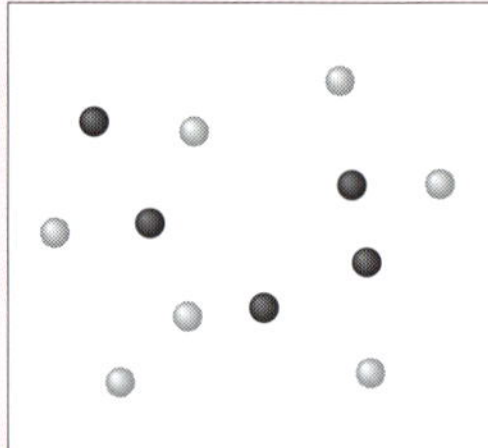

可燃性の気体と空気との割合が一定の範囲内のときは、点火源があれば燃焼する。

燃焼しない

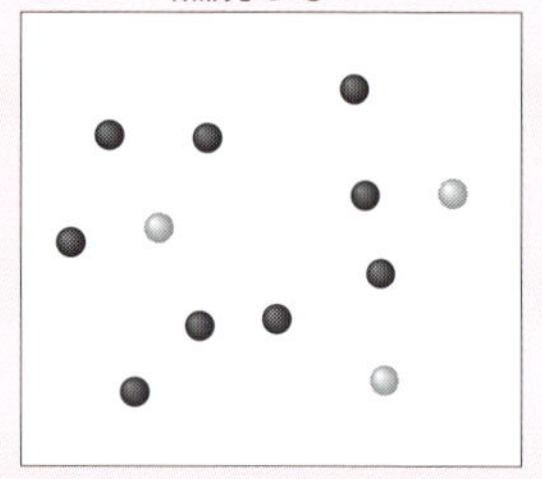

可燃性の気体の濃度が濃すぎても、燃焼は起こらない。

燃焼が起こる空気との混合割合の範囲を、その気体の燃焼範囲という。

<バーナーによる気体燃料の燃焼方式>

予混合燃焼方式	燃料の可燃性ガスと空気をあらかじめ混合してある。
拡散燃焼方式	燃料と空気を少しずつ混合しながら燃焼させる。

液体の可燃物も、液体のままでなく、蒸気が空気と混合して燃焼するから、気体の燃焼と同じように燃焼範囲があるよ。

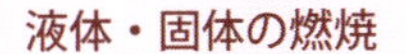

液体・固体の燃焼

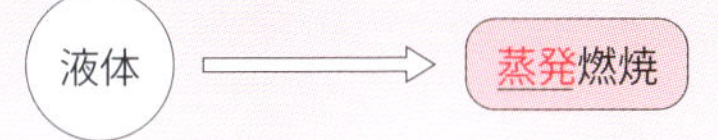

液面から蒸発した可燃性蒸気が空気と混合して燃焼する。（アルコール、灯油など）

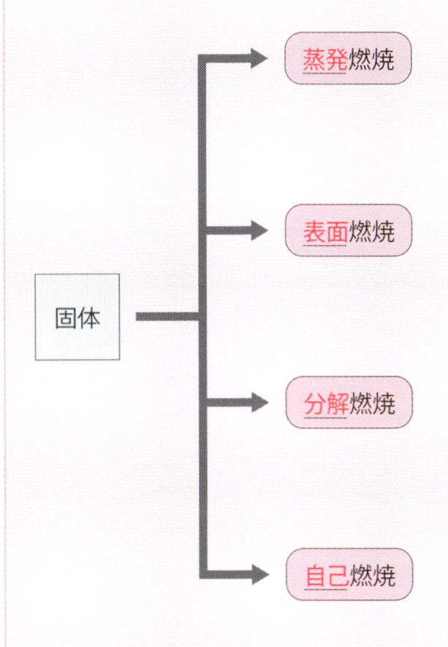

蒸発燃焼：加熱しても熱分解を起こさず、蒸発（昇華）してその蒸気が燃焼する。（硫黄、ナフタレンなど）

表面燃焼：熱分解も蒸発もせず、固体の表面で酸素と反応して燃焼する。（木炭、金属粉、コークスなど）

分解燃焼：加熱により分解し、その際に発生した可燃性ガスが燃焼する。（木材、石炭、プラスチックなど）

自己燃焼：分解燃焼のうち、物質中に比較的多くの酸素を含有するものの燃焼。内部燃焼ともいう。（ニトロセルロース、セルロイドなど）

自己燃焼する物質は、自ら酸素供給体となるため、外部から酸素が供給されなくても燃焼する。このような物質を自己反応性物質といい、第5類の危険物に分類されている。

自己燃焼する物質は、可燃物であり、酸素供給体でもある。つまり、燃焼の三要素のうちの２つを自ら備えているのだ！

なるほど。それじゃ、あと１つの要素、つまり熱源があれば燃焼するのね！

試験に出るポイントはここだ！

ポイント 1 気体は、空気と一定の範囲の割合で混合している場合にのみ燃焼する

可燃性の気体が燃焼するには、酸素供給体である空気と一定の範囲の割合で混合していなければならない。その濃度の範囲を、その気体の燃焼範囲という。

ポイント 2 液体の燃焼は、蒸発燃焼

可燃性の液体は、液体のまま燃焼するのではなく、液面から蒸発した可燃性蒸気が空気と混合して燃焼する。これを蒸発燃焼という。

ポイント 3 固体の燃焼は、表面燃焼、分解燃焼、または蒸発燃焼

可燃性の固体の燃焼の仕方には、表面燃焼、分解燃焼、蒸発燃焼がある。物質により、燃焼の仕方が異なる。

ポイント 4 木炭、金属粉、コークスなどの燃焼は、表面燃焼

可燃性の固体が、熱分解も蒸発もせずに高温を保ちながら、固体の表面で酸素と反応して燃焼することを、表面燃焼という。

ポイント 5 木材、石炭、プラスチックなどの燃焼は、分解燃焼

可燃性の固体が加熱により分解し、その際に発生した可燃性ガスが燃焼することを、分解燃焼という。

見た目がよく似ていても、燃焼のしくみが違うものもあるのね。

ポイント 6 ニトロセルロース、セルロイドなどは、自己燃焼する

分解燃焼のうち、物質内に比較的多くの酸素を含有する物質が、自ら酸素供給体となって燃焼することを、自己燃焼という。

ポイント 7 硫黄、ナフタレンなどの燃焼は、蒸発燃焼

可燃性の固体が、加熱しても熱分解を起こさず、蒸発（昇華）してその蒸気が燃焼することを蒸発燃焼という。

ポイント 8 酸化されやすい物質ほど燃焼しやすい

燃焼は、発熱と発光を伴う酸化反応である。すなわち、酸化されやすい物質ほど燃焼しやすい。

ポイント 9 発熱量（燃焼熱）の大きい物質ほど燃焼しやすい

燃焼は発熱を伴うが、発熱量は燃焼する物質により異なる。1molの物質が完全燃焼するときに発生する熱量を、その物質の燃焼熱という。

ポイント 10 酸素との接触面積が大きいものほど燃焼しやすい

金属は、粉体にすることにより燃焼しやすくなるが、その理由の一つは、表面積が大さくなるからである。

引火性の液体も、霧状にすると燃焼しやすくなるのだ。空気とよく混ざり合うこと、蒸気が発生しやすくなることなどがその理由だよ！

燃焼しやすい条件とは、火災や爆発の危険性が高い状態ともいえますね。

ポイント 11 熱伝導率が小さいものほど燃焼しやすい

熱伝導率が小さい（表面温度が高くなる）物質ほど、熱が蓄積しやすい（熱が逃げにくい）ので、燃焼しやすい（p.132 参照）。

ポイント 12 水分の含有量が少ないものほど燃焼しやすい

乾燥度の高い（水分の含有量が少ない）物質ほど、燃焼しやすい。水は比熱、蒸発熱ともに大きいので、水分を多く含むものを加熱しても、水の温度を上昇させ、水を蒸発させるために多くの熱エネルギーが消費されるためである。

ポイント 13 周囲の温度が高いほど燃焼しやすい

これは、温度が高いと酸化反応の反応速度も大きくなり、また、物質の温度が、引火点や発火点（p.171 ～ 172 参照）に達しやすくなるためである。

ポイント 14 可燃性蒸気が発生しやすいものほど燃焼しやすい

液体や固体が蒸発燃焼する場合は、可燃性蒸気が発生しやすい物質ほど燃焼しやすい。

ゴロ合わせで覚えよう！

固体の燃焼の仕方

粉溶いて、味濃ーくして、
（金属粉）（コークス）

表面カリカリに焼いて…、
（表面）（燃焼）

もう食ったんかい！
（木炭）

木炭、金属粉、コークスなどの燃焼は、表面燃焼である。

Lesson 34

第２章 基礎的な物理学及び基礎的な化学

引火点・発火点・燃焼範囲／自然発火

Lessonのポイント

- 引火点、発火点のそれぞれの意味を正しく覚えよう。
- 引火点と燃焼範囲にはどんな関係があるだろうか？
- 自然発火が起こるしくみを覚えよう。

引火点、発火点と自然発火

図表で覚えよう！

液体の燃焼は蒸発燃焼なので、実際に燃焼するのは液体ではなく、液体から発生した蒸気です。蒸気は、空気と一定の割合で混合している場合にのみ燃焼し、その濃度の範囲を燃焼範囲といいます（p.164 参照）。可燃性の液体から生じる蒸気の濃度が、燃焼範囲の下限値に達するときの液温が、引火点です。

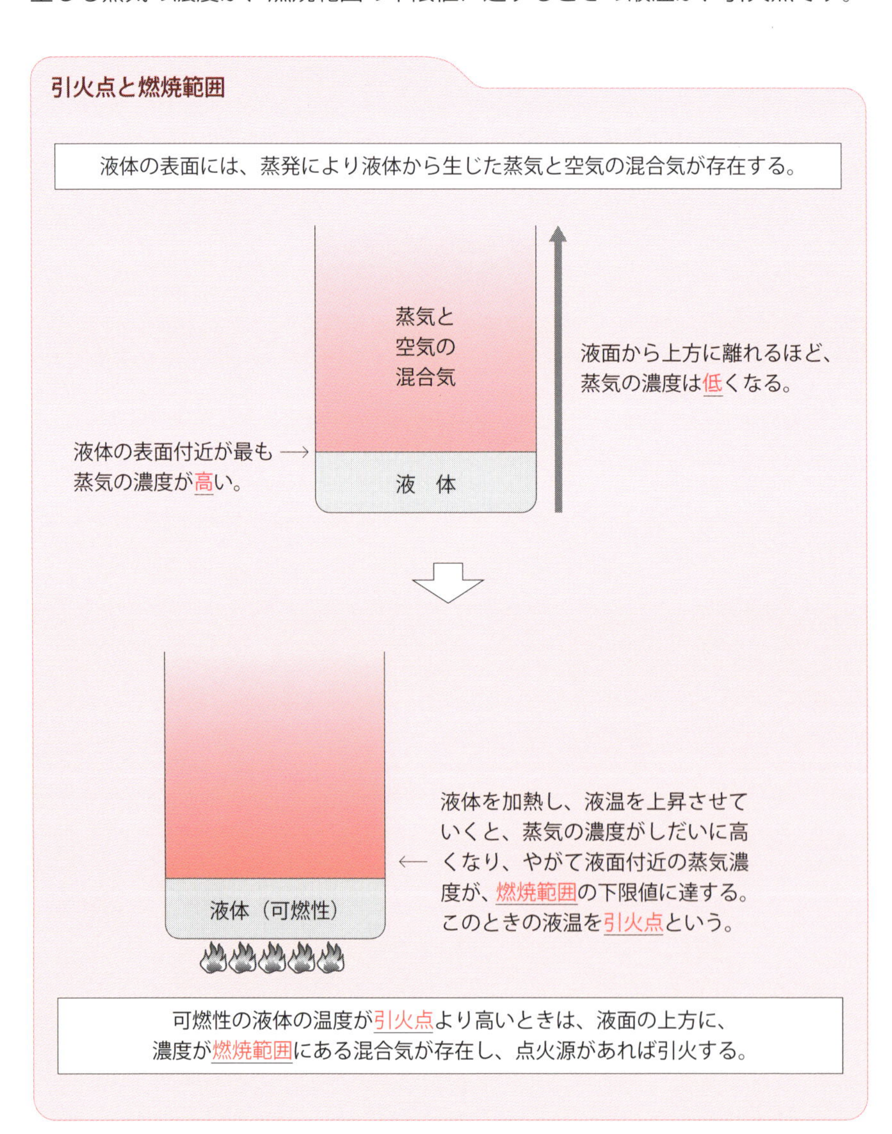

試験に出るポイントはここだ！

ポイント 1　引火点とは、可燃性の液体が**燃焼下限値**の蒸気を表面付近に発生する最低温度のこと

可燃性の液体が燃焼範囲（p.164 参照）の下限値（燃焼下限値という）の濃度の蒸気を発生する最低温度を、引火点という。

ポイント 2　引火点の**低**い物質ほど、引火の危険性は高くなる

可燃性の液体の温度が引火点より高いときは、液面の上方に、濃度が燃焼範囲にある混合気が存在し、点火源を近づければ引火する。

ポイント 3　燃焼範囲を**爆発**範囲ともいう

可燃性の液体から生じる蒸気と空気の混合気の濃度が燃焼範囲にあるとき、混合気に点火すると急激に燃焼し、混合気が密閉容器内にあるときは爆発することがある。このため、燃焼範囲を爆発範囲ともいう。

ポイント 4　ガソリンの燃焼範囲は**1.4**vol%～**7.6**vol%（燃焼下限値は**1.4**vol%）

すなわち、ガソリンの蒸気と空気の混合気の体積が 100L の場合、ガソリンの蒸気が 1.4 ～ 7.6L の範囲であれば、点火すると燃焼する。

空気が 100L、ガソリンの蒸気が 1.4L の場合は、混合気の体積は 101.4L だから、混合気に占めるガソリンの蒸気の割合は約 1.38 vol%で、燃焼下限値を下回るので燃焼しないのだ。

ポイント 5　一般に、同一の物質では、**燃焼点**は引火点よりも**高い**

燃焼点は、小さな点火炎により連続的に燃焼を始めるときの温度であり、測定では、引火後 5 秒以上燃焼が継続するときの液温を燃焼点とする。

ポイント 6 一般に、同一の物質では、発火点は引火点よりも高い

可燃物を空気中で加熱したときに、火源がなくとも自ら発火し燃焼する最低の温度を発火点という。

引火点の測定対象は液体と固体の可燃物に限られるが、発火点は気体についても測定できるのだ。

可燃物の温度が発火点に達し、そこに酸素があれば、燃焼の三要素が揃ったことになるんだね。

ポイント 7 物質が空気中で自然に発熱し、その熱が発火点に達して燃焼することを、自然発火という

物質が、他から点火源を与えられなくとも、比較的低温の空気中で自然に発熱し、その熱が長時間蓄積されてやがて発火点に達し、燃焼する現象を、自然発火という。

ポイント 8 分解熱により自然発火する物質は、セルロイド、ニトロセルロースなど

自然発火が発生する機構の一つに、分解熱による発熱がある。分解熱により自然発火する物質には、セルロイド、ニトロセルロースなどがある。

ポイント 9 酸化熱により自然発火する物質は、乾性油、原綿、石炭、ゴム粉など

自然発火が発生する機構の一つに、酸化による発熱がある。酸化熱により自然発火する物質には、乾性油、原綿、石炭、ゴム粉などがある。

ポイント 10 吸着熱により自然発火する物質は、活性炭、木炭粉末など

自然発火が発生する機構の一つに、吸着熱（物質の吸着により発生する熱）による発熱がある。吸着熱により自然発火する物質には、活性炭、木炭粉末などがある。

ポイント 11 自然発火は、物質の内部に熱が蓄積しやすい条件において起こりやすい

物質の熱伝導率が小さいとき、物質が堆積しているとき、粉末状、繊維状の物質系は空間が多く、空気の熱伝導率が小さいので、熱が蓄積されやすい。

ポイント 12 通風の良い場所では、自然発火は起こりにくい

通風の良い場所では、気相における流動があれば、発生した熱が系外へ運ばれて、熱が蓄積されにくく、自然発火は起こりにくい。

ポイント 13 空気中に一定の濃度で浮遊する可燃性物質の微粉が、火源により爆発することを、粉じん爆発という

可燃性物質（固体）の微粉が空気中に一定の濃度で浮遊している場合、何らかの火源により爆発するおそれがある。このようにして起きる爆発を、粉じん爆発という。

ポイント 14 粉じん爆発には燃焼範囲（爆発範囲）がある

粉じん爆発は、粉じんと空気が適度な割合で混合しているときに起きる。すなわち、可燃性蒸気の燃焼（爆発）の場合と同様に、粉じん爆発にも、粉じんの濃度による燃焼範囲（爆発範囲）がある。

ゴロ合わせで覚えよう！

引火点と発火点

手加減すればいいか？
（点火源）（があれば）（引火点）

手加減などいらん！
（点火源）　（なくても）

早くかかってこい！
（発）（火）（点）

点火源があれば引火する温度が引火点。外部からの点火源がなくとも燃焼する温度が発火点。

Lesson 35 消火理論

Lessonのポイント

- 消火の三要素は、除去消火、冷却消火、窒息消火。
- 消火は、燃焼の三要素のどれかを取り去ることに当たる。
- 消火の三要素に抑制効果を加えて、消火の四要素という。

燃焼と消火

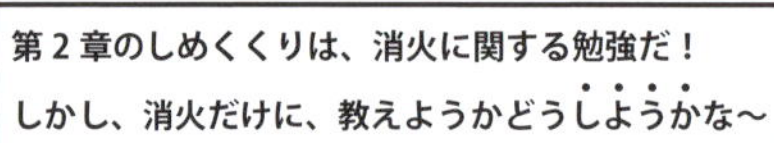

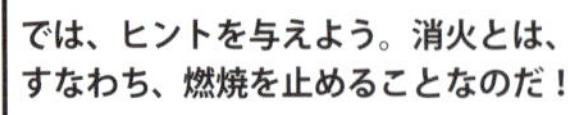

図表で覚えよう！

消火とは、燃焼を中止させることです。燃焼が起きるためには、燃焼の三要素（p.160 参照）が同時に存在することが必要なので、燃焼を止めるには、三要素のうちのどれかを取り除けばよいことになります。その 3 つの方法に、酸化反応を断ち切る抑制効果による消火方法を加えて、消火の四要素といいます。

試験に出るポイントはここだ！

ポイント 1 消火の三要素は、除去消火、冷却消火、窒息消火

消火の三要素は、除去消火、冷却消火、窒息消火である。これらは、それぞれ、燃焼の三要素のうちのいずれかを取り除くことに相当する。

ポイント 2 燃焼の三要素のうち、1つの要素を取り去れば消火できる

燃焼が起きるには、可燃物、酸素供給体、熱源の、燃焼の三要素が同時に存在することが必要である。つまり、燃焼を中止させるには、燃焼の三要素のうちの１つを取り去ればよい。

しかし、火災が大きくなってしまうと、燃焼の三要素のうちの１つを取り去るだけでも、非常に困難になるのだ。

ポイント 3 除去消火とは、可燃物を取り去ること

除去消火とは、燃焼の三要素のうちの１つである、可燃物を取り去ることに相当する。また、可燃物を取り去ることによる消火効果を、除去効果という。

ポイント 4 窒息消火とは、酸素の供給を断つこと

窒息消火とは、燃焼の三要素のうちの１つである、酸素の供給を断つことに相当する。また、酸素の供給を断つことによる消火効果を、窒息効果という。

ポイント 5 冷却消火とは、熱源から熱を奪うこと

冷却消火とは、燃焼の三要素のうちの１つである熱源から熱を奪うことに相当する。また、熱源から熱を奪うことによる消火効果を、冷却効果という。

ポイント 6
ロウソクの炎を吹き消すのは、除去消火

ロウソクの炎を強く吹くと消えるのは、芯の周囲に発生している可燃性の蒸気が吹き飛ばされるためで、除去消火に当てはまる。

ポイント 7
ガスの元栓を閉めて火を消すのは、除去消火

ガスの元栓を閉めて火を消すのは、可燃物であるガスの供給を断つことであるから、除去消火に当てはまる。このほか、森林火災において、延焼するおそれのある方面の樹木を切り倒して鎮火させるのも除去消火である。

ポイント 8
不燃性の泡で燃焼物を覆う消火方法は、窒息消火

不燃性の泡で燃焼物を覆う消火方法は、泡により空気との接触を断つことが目的で、窒息消火に当てはまる。

ポイント 9
二酸化炭素や窒素等の不活性ガスで燃焼物を覆う消火方法には、窒息効果と冷却効果がある

高圧ガス容器に充填された液体の二酸化炭素（CO_2）を放射すると、二酸化炭素が気化し、膨張して燃焼物を覆い、燃焼物の周囲の酸素の濃度が低下するので、窒息効果が生じる。また、気化熱による冷却効果も生じる。

不活性ガスによる消火は、2つの効果をあわせもっているんだね。

その通り。不活性ガスは消火剤としてすぐれているものの一つだよ。

ポイント 10
固体で燃焼物を覆う消火方法は、窒息消火

乾燥砂などの固体で燃焼物を覆う消火方法は、空気との接触を断つことを目的としており、窒息消火に当てはまる。

ポイント 11 自己燃焼する物質の消火には、窒息消火は効果がない

ニトロセルロースのように、分子中に酸素（O_2）を含有する物質が、その酸素により燃焼することを自己燃焼、または内部燃焼という（p.165 参照）。このような物質の消火には、窒息消火は効果がない。

ポイント 12 水は、比熱と気化熱が大きいため、消火剤としての冷却効果が高い

水は比熱、気化熱が大きく、燃焼物に水をかけると、その水の温度が上昇するまでに大きな熱量を奪い、水が気化して水蒸気になる過程でも大きな熱量を奪うので、冷却効果が高い。

ポイント 13 消火の三要素に、抑制（負触媒）効果による燃焼の抑制を加えて、消火の四要素という

化学反応において、他の物質の反応速度を遅くする効果をもつ物質を負触媒といい、そのような効果を抑制効果（または負触媒効果）という。

ポイント 14 ハロゲン化物を燃焼物に放射する消火方法には、抑制効果と窒息効果がある

ハロゲン元素（周期表第 17 族の、フッ素（F）、塩素（Cl）、臭素（Br）など）には抑制効果があり、ハロゲン化物（ハロゲン元素と水素、または金属の化合物）を燃焼物に放射する消火方法には、抑制効果と窒息効果がある。

ゴロ合わせで覚えよう！

消火の四要素

金を取られて、冷たくされて、
（可燃物）（除去）　（冷却）

首しめられて、侮辱され…、
（窒息）　（負触媒）

私はこれでいいのでしょうか？
（消火）

消火の三要素は、（可燃物を取り去る）除去消火と、冷却消火、窒息消火。これに、抑制（負触媒）効果による燃焼の抑制を加えて、消火の四要素という。

Lesson 36 第2章 基礎的な物理学及び基礎的な化学

消火薬剤

Lessonのポイント

- 消火薬剤の種類を覚えよう。
- 火災は、普通火災、油火災、電気火災に区分される。
- それぞれの火災に適応するのは、どの消火薬剤か？

火災の区分と消火薬剤

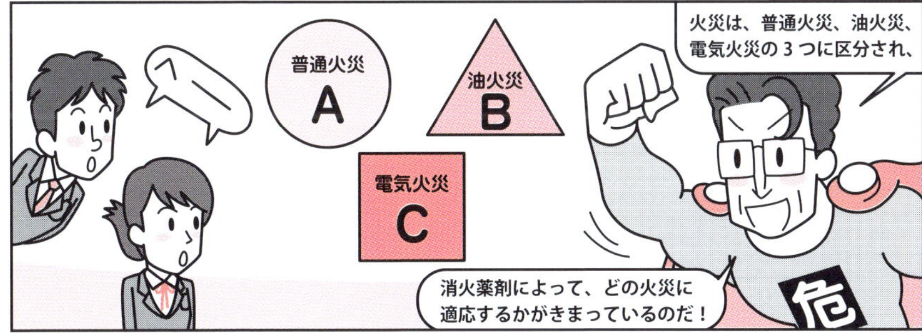

図表で覚えよう！

木材、紙類、繊維などの普通可燃物の火災を普通火災（A 火災）、第 4 類の危険物である引火性液体などの火災を油火災（B 火災）、電線、変圧器、モーター等の電気設備の火災を電気火災（便宜的に C 火災とも）といいます。それぞれの火災においては、その火災に適応する消火薬剤を使用しなければなりません。

消火薬剤による消火器の区分と適応等

消火器の区分	消火器の種類	消火剤の主成分	適応する火災	主な消火効果
水を放射する消火器	水消火器	水	A, (C)	冷却効果
	酸・アルカリ消火器	炭酸水素ナトリウム 硫酸	A, (C)	冷却効果
強化液を放射する消火器	強化液消火器	炭酸カリウム	A, (B, C)	冷却(抑制)効果 再燃防止効果
泡を放射する消火器	化学泡消火器	炭酸水素ナトリウム 硫酸アルミニウム	A, B	窒息効果 冷却効果
	機械泡消火器	合成界面活性剤泡、または水成膜泡		
ハロゲン化物を放射する消火器	ハロン 1211 消火器	ブロモクロロジフルオロメタン	B, C	抑制効果 窒息効果
	ハロン 1301 消火器	ブロモトリフルオロメタン		
	ハロン 2402 消火器	ジブロモテトラフルオロメタン		
二酸化炭素を放射する消火器	二酸化炭素消火器	二酸化炭素	B, C	窒息効果 冷却効果
消火粉末を放射する消火器　リン酸塩類を使用するもの	粉末（ABC）消火器	リン酸アンモニウム	A, B, C	窒息効果 抑制効果
消火粉末を放射する消火器　炭酸水素塩類等を使用するもの	粉末（K）（Ku）消火器	炭酸水素カリウム、または炭酸水素カリウムと尿素の反応生成物	B, C	窒息効果 抑制効果
	粉末（Na）消火器	炭酸水素ナトリウム		

A：普通火災　B：油火災　C：電気火災　※（　）内は、消火剤を霧状に噴射する場合

試験に出るポイントはここだ！

ポイント 1 水消火器は、普通火災に適応

水消火器には、棒状の水を放射するものと、霧状の水を放射するものがある。前者は普通火災に適応し、後者は、普通火災のほか、電気火災にも適応する。

ポイント 2 水消火器の主な消火効果は、冷却効果

水消火器の主な消火効果は、水の比熱や気化熱が大きいことを利用した冷却効果である（p.178 参照）。水を霧状に放射した場合は、冷却効果がさらに高くなり、気化した水蒸気による窒息効果も期待できる。

ポイント 3 酸・アルカリ消火器の適応と消火効果は、水消火器と同様

酸・アルカリ消火器は、炭酸水素ナトリウム（$NaHCO_3$）と硫酸（H_2SO_4）を混合させることにより、水、二酸化炭素等を発生させ、二酸化炭素の圧力で水溶液を噴射する。

ポイント 4 霧状の強化液を放射する消火器は、普通火災、油火災、電気火災のすべてに適応

強化液は、炭酸カリウム（K_2CO_3）の濃厚な水溶液で、冷却効果が高く、水消火器同様に普通火災に適応し、霧状に噴射する場合は電気火災にも適応する。また、強化液には抑制効果もあり、霧状に噴射する場合は油火災にも適応する。

強化液には、消火後の再燃を防止する効果もあるのだ！

ポイント 5 泡を放射する消火器は、普通火災と油火災に適応

泡を放射する消火器には、泡で燃焼物を覆うことによる窒息効果と冷却効果があり、普通火災と油火災に適応する。感電のおそれがあるので、電気火災には使用できない。

ポイント 6 二酸化炭素を放射する消火器は、油火災と電気火災に適応

高圧で充填された液体の二酸化炭素（CO_2）を放射する消火器には、二酸化炭素による窒息効果と、気化熱による冷却効果があり（p.177参照）、油火災に適応する。また、薬剤が電気の不導体なので、電気火災にも適応する。

ポイント 7 二酸化炭素を放射する消火器を密閉した場所で使用すると、酸欠のおそれがある

酸欠のおそれがあるため、地下街などには設置できない。一方、消火剤がすべて気化するため、対象物の汚損が少ないという利点もある。

ポイント 8 ハロゲン化物を放射する消火器は、油火災と電気火災に適応

ハロゲン化物を放射する消火器には、ハロゲン元素による抑制効果（負触媒効果）と、放射された気体による窒息効果があり、油火災に適応する。また、薬剤が電気の不導体なので、電気火災にも適応する。

ポイント 9 リン酸アンモニウムを主成分とする粉末を放射する消火器は、すべての火災に適応

粉末を放射する消火器には、粉末で燃焼面を覆うことによる窒息効果と、抑制効果がある。油火災、電気火災に適応し、リン酸アンモニウム（$(NH_4)_3PO_4$）を薬剤の主成分とするものは、普通火災にも適応する。

ゴロ合わせで覚えよう！

消火薬剤の消火効果と適応

元気か？
（電気火）

最近会わないけど。
（災）　（泡）（合わない＝適応しない）

ダメ。寒いし息が苦しい…
（冷却）　（窒息）

泡を放射する消火器には、窒息効果と冷却効果があり、普通火災と油火災に適応する。感電のおそれがあるので、電気火災には使用できない。

マンガ+ゴロ合わせでスピード合格！ 乙種第４類危険物取扱者

危険物の性質並びにその火災予防及び消火の方法

第３章では、危険物の性質や、火災が起こらないようにするための対策、発生してしまった場合の消火方法を勉強します。似た名前の危険物もあり、覚える性質も多くありますので、例えば、「水に溶ける危険物をすべて覚えて、そのほかは水に溶けない」など、自分にあった勉強法を見つけましょう。

Lesson 37 第3章 危険物の性質並びにその火災予防及び消火の方法

危険物の類ごとに共通する性状等

Lessonのポイント

- 危険物の類ごとに共通する性状等を覚えよう。
- 可燃性物質は、そのもの自体が燃える。
- 酸化性物質は、他の可燃物の燃焼を促進する。

危険物の類ごとの特徴

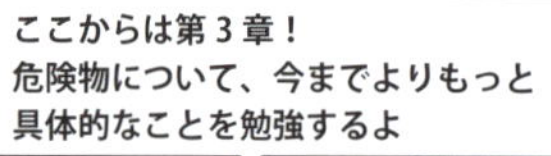

図表で覚えよう！

危険物は第１類から第６類に区分されており、それぞれの類の危険物には、類ごとに共通する性質が見られます。危険物全体を大きく分けると、そのもの自体が燃焼する可燃性物質（可燃物）と、他の物質の燃焼を促進する酸化性物質があります。

危険物の類ごとの性質の概要

類 別	性 質	状 態	性質の概要
第１類	酸化性固体	固体	そのもの自体は燃焼しないが、酸素を含有し、他の物質を酸化させる。
第２類	可燃性固体	固体	火炎によって着火しやすい固体、または、比較的低温で引火しやすい固体。
第３類	自然発火性物質及び禁水性物質	液体または固体	空気にさらされると自然に発火する物質、または、水と接触すると発火し、もしくは可燃性ガスを発生する物質。
第４類	引火性液体	液体	引火性を有する液体。
第５類	自己反応性物質	液体または固体	加熱分解などにより、比較的低い温度で多量の熱を発生し、または爆発的に反応が進行する。
第６類	酸化性液体	液体	そのもの自体は燃焼しないが、混在する他の可燃物の燃焼を促進する。

第１類と第６類は、そのもの自体は燃焼しないが、他の可燃物を酸化し、燃焼を促進する物質。その他の危険物は、第３類の一部のものを除いて、すべて可燃物だよ。

どちらも燃焼に深く関係する物質ね。

試験に出るポイントはここだ！

ポイント 1 第１類の危険物は、酸化性固体

第１類の危険物は、酸化性固体の性状を有するもので、不燃性であるが、分子構造中に酸素を含有し、加熱、衝撃、摩擦等により分解して酸素を放出することにより、周囲の可燃物の燃焼を著しく促進する。

ポイント 2 第１類の危険物のうち、アルカリ金属の過酸化物は、水と反応する

第１類の危険物のうち、アルカリ金属の過酸化物は、水と反応して酸素を放出するため、貯蔵・取扱いにあたっては、水との接触を避けなければならない。

ポイント 3 第２類の危険物は、可燃性固体

第２類の危険物は、可燃性固体の性状を有するもので、比較的低温で着火しやすく、燃焼速度が速い。引火性を有するものや、燃焼時に有毒ガスを発生するものもある。微粉状のものは、空気中で粉じん爆発を起こすおそれがある。

ポイント 4 第３類の危険物は、自然発火性物質、および禁水性物質

第３類の危険物は、自然発火性物質、または禁水性物質の性状を有し、空気または水と接触すると、直ちに危険性が生じる。自然発火性物質は空気に触れると発火し、禁水性物質は水と接触すると発火、または可燃性ガスを発生する。

ポイント 5 第３類の危険物の大部分は、自然発火性、禁水性の両方の性質を有する

第３類の危険物の大部分は、自然発火性、禁水性の両方の性質を有するが、自然発火性のみを有するもの（黄リン）、禁水性のみを有するもの（リチウム）もある。

ポイント 6　第 5 類の危険物は、自己反応性物質

第 5 類の危険物は、自己反応性物質の性状を有するもので、可燃性の液体、または固体である。多くのものは酸素を含有し、外部から酸素が供給されなくても、自ら酸素供給体となって燃焼する。燃焼速度はきわめて速い。

ポイント 7　第 5 類の危険物には、自然発火するものがある

第 5 類の危険物には、空気中に長時間放置すると分解し、自然発火するものがある。また、引火性を有するものもある。

ポイント 8　第 6 類の危険物は、酸化性液体

第 6 類の危険物は、酸化性液体の性状を有するもので、いずれも不燃性の無機化合物である。そのもの自体は燃えないが、酸化力が強く、有機物と混合するとそれらを酸化させ、場合によっては着火させる。

第 4 類の危険物については、次のレッスンからくわしく勉強するので、ここでは省略！

ゴロ合わせで覚えよう！

危険物の類ごとの性質

3 か国語ペラペラの金子さん、
(酸化性固体)　(可燃性固体)

自然が大好き、でも水は苦手。
(自然発火性物質)　(禁水性物質)

田舎の駅で、自分を見つめ直す旅に
(引火性)(液体)　(自己反応性物質)

3 回行きたい！
(酸化性)(液体)

危険物は、第 1 類から順に、酸化性固体、可燃性固体、自然発火性物質および禁水性物質、引火性液体、自己反応性物質、酸化性液体。

Lesson 38

第3章 危険物の性質並びにその火災予防及び消火の方法

第4類の危険物に共通する特性

Lessonのポイント

- 第４類の危険物は、引火性を有する液体である。
- 第４類の危険物は、引火点の低いものほど危険性が高い。
- 第４類の危険物の蒸気比重は１より大きく、蒸気が低所に流れる。

第4類の危険物

図表で覚えよう！

第４類の危険物は、引火性液体の性状を有するもので、液面から発生する蒸気と空気との混合物は、その混合割合が燃焼範囲（p.164 参照）の範囲内である場合、点火源があれば燃焼します。

第４類の危険物の一般的性質

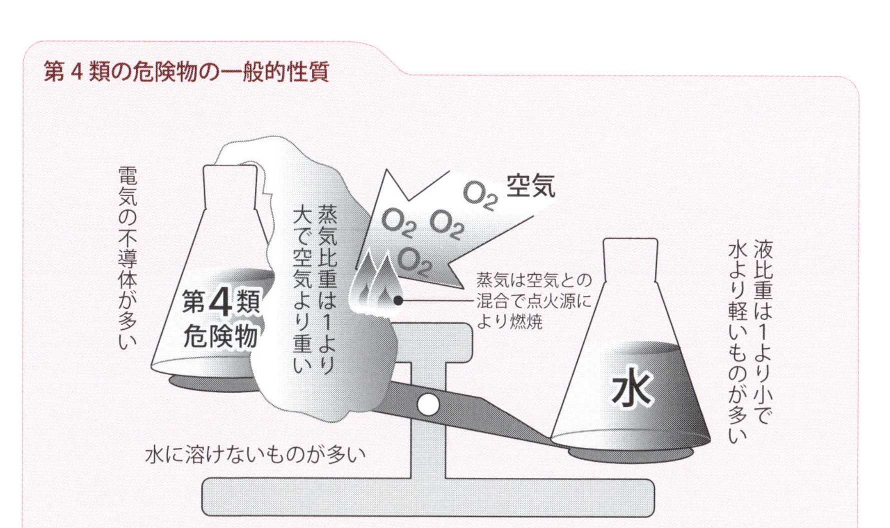

引火点	品　名	特　徴
低い（20℃以下）	特殊引火物、第一石油類、アルコール類（メタノール、エタノール、イソプロピルアルコールなど）	常温でも蒸気の濃度が燃焼範囲に達し、点火源があれば引火する。
高い（20℃超）	アルコール類（n- プロピルアルコールなど）、第二石油類、第三石油類、第四石油類、動植物油類	常温では発生する蒸気が少なく、引火しないが、加熱され液温が上昇すると、蒸気の濃度が燃焼範囲に達し、点火源があれば引火する。

試験に出るポイントはここだ！

ポイント 1 第４類の危険物は、引火性液体

第４類の危険物は、引火性液体の性状を有するもので、液面から発生する蒸気と空気との混合物の濃度が燃焼範囲（p.164 参照）のときに、点火源があれば引火し、燃焼する。

ポイント 2 第４類の危険物は、引火点の低いものほど危険性が高い

第４類の危険物は､引火点（p.171 参照）の低いものほど燃焼する可能性が高く、危険である。また、沸点の低いものも、蒸気が発生しやすく、引火の危険性が高くなる。

ポイント 3 第４類の危険物は、蒸気比重が１よりも大きい

第４類の危険物は、蒸気比重が１よりも大きく、発生した蒸気は空気より重いので、低所に滞留し、または低所に流れる。

空気より重い可燃性の蒸気は、低所をどんどん流れていき、風下の遠い所にある点火源に触れて引火することもあるのだ！

ポイント 4 第４類の危険物には、液比重が１よりも小さいものが多い

第４類の危険物は、液比重が１よりも小さく、つまり、水よりも軽いものが多い。したがって、燃焼した際に注水すると、危険物が水面に薄く広がり、火災の範囲をかえって拡大させてしまうおそれがある。

ポイント 5 第４類の危険物には、水に溶けないものが多い

第４類の危険物は、アルコール類等の一部の物品を除いて、水に溶けない。水に浮くのは、液比重が１よりも小さく、水に溶けない物品である。

ポイント 6 第４類の危険物には、電気の不導体であるものが多い

第４類の危険物の多くは電気の不導体なので、静電気を蓄積しやすく、静電気が放電するときに火花が発生し、引火するおそれがある。このような危険物が流れる、配管、ホース等には、静電気の発生を防止する措置が必要である。

ポイント 7 第４類の危険物には、発火点が低く、加熱するだけで発火するものがある

二硫化炭素（発火点 90℃）、アセトアルデヒド（発火点 175℃）、ジエチルエーテル（発火点 160℃）などがその例である。

発火点の低い物品は、どれも特殊引火物に分類されているわ。

ポイント 8 第４類の危険物には、液温が－ 40℃以下でも引火するものがある

ジエチルエーテルの引火点は－ 45℃、ガソリンの引火点は－ 40℃以下で、いずれも、液温が－ 40℃以下でも引火する。

ゴロ合わせで覚えよう！

第４類の危険物に共通する性質

夜の駅は、
（第４類）（液比重）

だいたい明るい。
（多くのものが）（水より軽い）

夜、上機嫌な人は、みな重い
（第４類）（蒸気比重）　（空気より重い）

第４類の危険物は、すべて蒸気比重が１よりも大きく（空気よりも重く）、液比重は、１よりも小さい（水よりも軽い）ものが多い。

Lesson 39

第３章　危険物の性質並びにその火災予防及び消火の方法

第４類の危険物に共通する火災予防の方法

Lessonのポイント

- 第４類の危険物は、みだりに蒸気を発生させないことが重要。
- 蒸気は低所に滞留しやすいので、屋外の高所に排出する。
- 空の容器の内部に残っている蒸気にも注意！

第４類の危険物の取扱い上の注意事項

図表で覚えよう！

第４類の危険物は、可燃性の蒸気を発生し、その蒸気が引火性を有するため、みだりに蒸気を発生させないこと、火気を近づけないことなどが、火災予防のための基本的な注意事項となります。

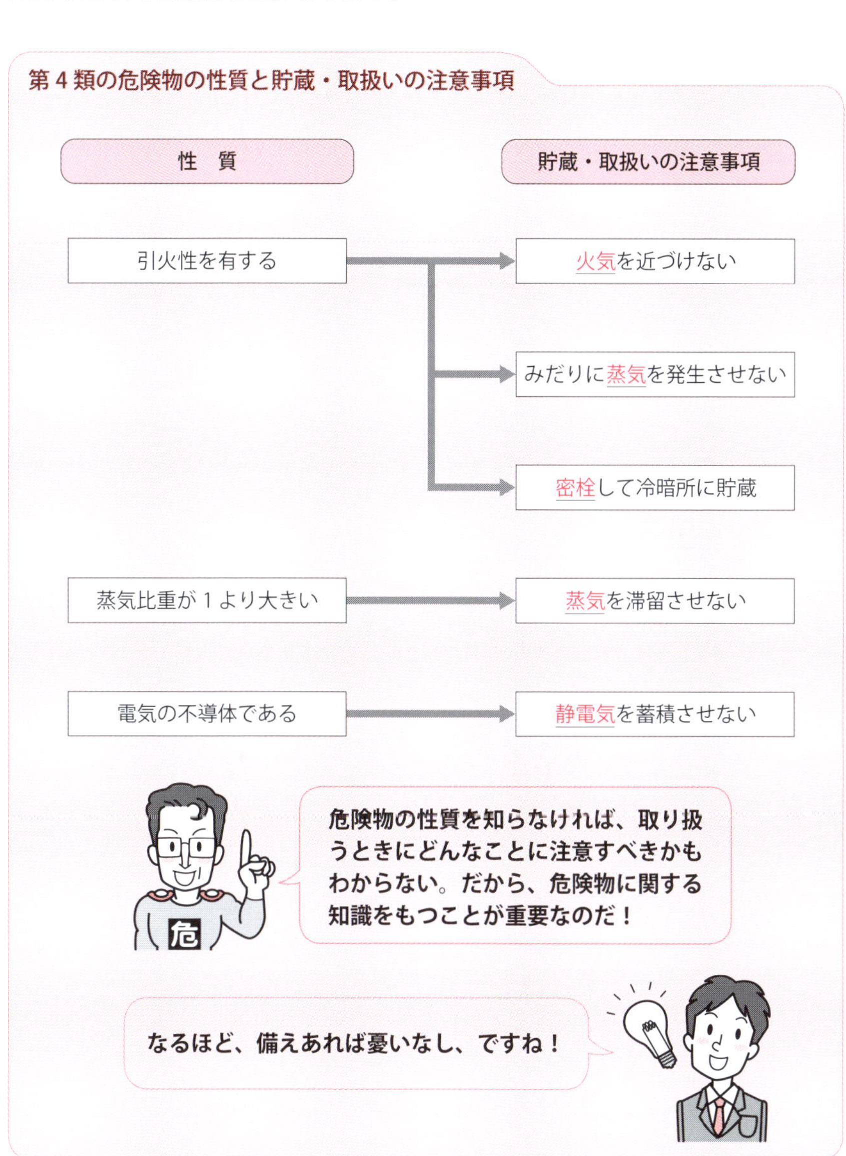

試験に出るポイントはここだ！

ポイント 1 第４類の危険物の貯蔵・取扱いに際しては、火気を避ける

第４類の危険物の貯蔵・取扱いに際しては、炎、火花、高温体との接近や、過熱を避ける。やむを得ずそれらを行う場合は、災害防止のための十分な措置を講じなければならない。

ポイント 2 第４類の危険物の貯蔵・取扱いに際しては、みだりに蒸気を発生させない

第４類の危険物は、蒸気が空気と混合して燃焼するため、みだりに蒸気を発生させないようにしなければならない。

引火する危険があるから、必要なとき以外は蒸気を発生させないことが大切なのね。

ポイント 3 第４類の危険物が入った容器は、密栓して冷暗所に貯蔵する

これは、引火点の高い危険物であっても、液温が上がると引火の危険性が生じるためである。

ポイント 4 第４類の危険物が入った容器を密栓するときは、容器内に空間容積をとる

これは、温度の上昇により危険物が膨張した際に、容器が破損し、危険物が流出するのを防ぐためである。

ポイント 5 第４類の危険物が入っていた容器は、空であっても、内部に残っている蒸気に注意する

第４類の危険物が入っていた容器は、空になっていても、内部に蒸気が残っていることがあり、その蒸気には引火性があるため、十分な注意が必要である。

ポイント 6 第４類の危険物から蒸気が発生する場合は、低所の蒸気を屋外の高所に排出する

蒸気が低所に滞留しないように、低所の蒸気を屋外の高所に排出し、十分な通風、換気を行って、蒸気の濃度が、常に燃焼範囲の下限値よりも低い状態に抑える。

ポイント 7 可燃性の蒸気が滞留するおそれのある場所では、火花を発生する機械器具を使用しない

可燃性の蒸気が著しく滞留するおそれのある場所の電気設備は、防爆構造のものとする。

ポイント 8 静電気が発生するおそれがある場合は、静電気を除去する措置を講じる

静電気の蓄積を防ぐには、導電性のよい器具等を使用し、接地（アース）すること、水を散布して周囲の湿度を上げることなどが有効である。

このほかにも、静電気の蓄積を防ぐには、帯電予防加工を施した作業服等を着用することなどが有効なのだ！

ゴロ合わせで覚えよう！

可燃性の蒸気が発生する場所での措置

常識的に考えて、
（蒸気）

外の高めで勝負だろ？
（屋外）（高所）

第４類の危険物から蒸気が発生する場所では、蒸気が低所に滞留しないように、屋外の高所に排出する。

Lesson 40

第４類の危険物に共通する消火の方法

Lessonのポイント

- 第４類の危険物の火災に対しては、窒息消火を行う。
- 第４類の危険物の火災に適応する消火剤を覚えよう。
- 水溶性の危険物の火災には、水溶性液体用の泡消火剤を用いる。

第４類の危険物の消火

図表で覚えよう！

第４類の危険物の消火では、可燃物を除去することによる除去消火や、燃焼している危険物の温度を下げる冷却消火はともに困難なので、窒息消火が行われます。消火剤としては、水は不適当ですが、他の消火剤は、第４類の危険物の消火に用いることができます。

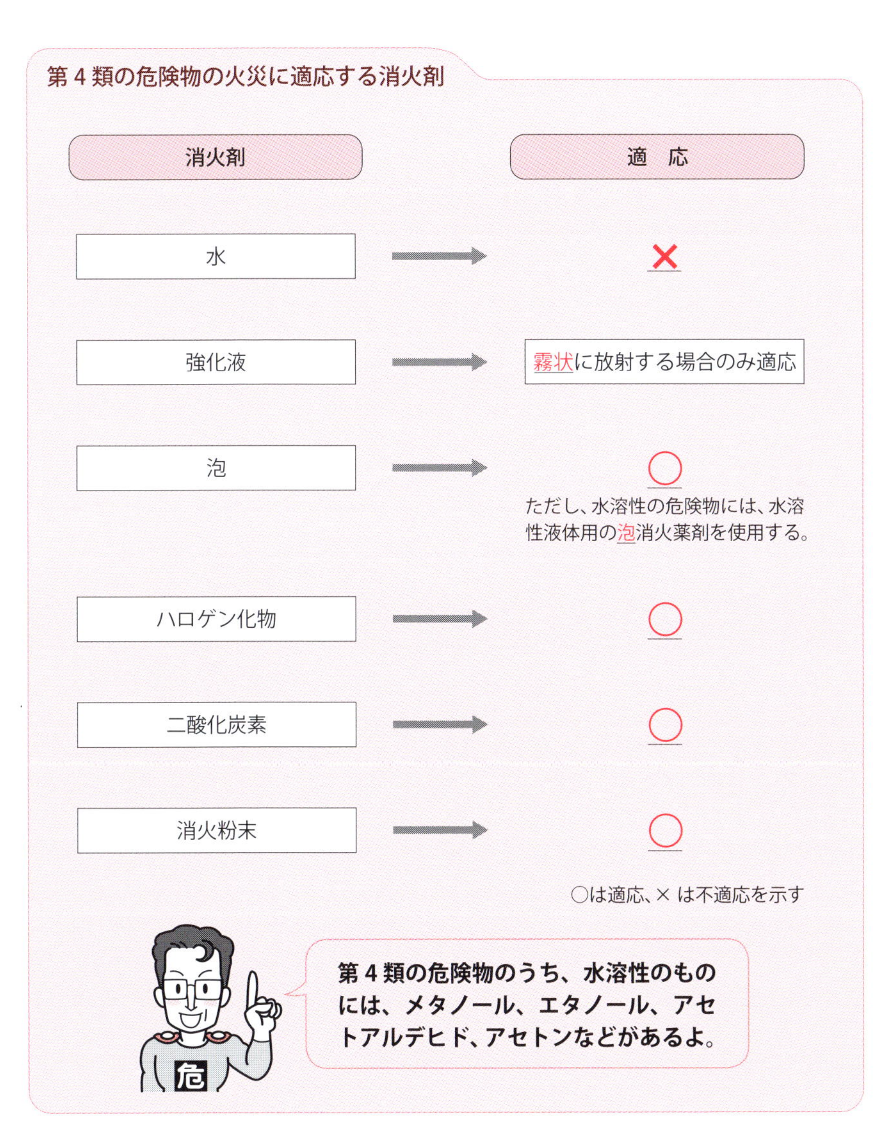

第４類の危険物の火災に適応する消火剤

消火剤	適　応
水	×
強化液	霧状に放射する場合のみ適応
泡	○ ただし、水溶性の危険物には、水溶性液体用の泡消火薬剤を使用する。
ハロゲン化物	○
二酸化炭素	○
消火粉末	○

○は適応、× は不適応を示す

試験に出るポイントはここだ！

ポイント 1 第４類の危険物の消火は、窒息消火

第４類の危険物の消火では、除去消火や冷却消火が困難なので、空気を遮断する窒息消火が行われる（消火剤によっては抑制効果も得られる）。

ポイント 2 第４類の危険物の火災には、水による消火は適当でない

第４類の危険物の多くは、液比重が１より小さく、水に溶けないので、注水すると危険物が水に浮いて流れ、火災の範囲を拡大させるおそれがある。

ポイント 3 強化液消火剤は、霧状に放射すれば、第４類の危険物の火災に対して効果的である

強化液消火剤は、棒状に放射する場合は、第４類の危険物の火災には適応しないが、霧状に放射する場合は、抑制効果により、第４類の危険物の火災にも適応する。

ポイント 4 泡消火剤は、一般に、第４類の危険物の火災に対して効果的である

泡消火剤には窒息効果があり、一般に、第４類の危険物の火災に対して効果的である。

ポイント 5 水溶性の危険物には、普通の泡消火剤でなく、水溶性液体用の泡消火剤を用いる

アルコール類、アセトン、アセトアルデヒド、酸化プロピレン等の水溶性の液体に対しては、水溶性液体用の泡消火薬剤（耐アルコール泡）を用いる。

水溶性の液体に対して普通の泡消火剤を使用すると、泡の膜が危険物に溶かされて泡が消滅しやすいのだ！

ポイント 6 ハロゲン化物、二酸化炭素、粉末の消火剤は、第4類の危険物の火災に対して効果的である

ハロゲン化物消火剤、二酸化炭素消火剤、粉末消火剤は、いずれも、第4類の危険物の火災に対して効果的である。

ポイント 7 ハロゲン化物消火剤、粉末消火剤には、窒息効果のほかに、抑制効果がある

第4類の危険物の火災に適応する消火剤には、窒息効果のほか、抑制効果をもつものがある。ハロゲン化物消火剤、粉末消火剤には、抑制効果がある（強化液消火剤を霧状に放射した場合も、抑制効果がある）。

ポイント 8 第4類の危険物の火災であっても、電気設備の火災には、泡消火剤による消火は適当でない

泡消火剤は、第4類の危険物の火災に適応するが、第4類の危険物の火災であっても、電気設備の火災には、泡消火剤による消火は適当でない（p.181 参照）。

第4類の危険物に適応する消火剤のうち、泡消火剤以外のものは、電気火災にも適応するのね。

ゴロ合わせで覚えよう！

第4類の危険物の火災に適応する消火剤

今日解禁の
（強化液）

ボージョレヌーボーは
（棒状）

飲んじゃダメだよ！
（適応しない）（第4類）

強化液消火剤は、棒状に放射する場合は、第4類の危険物の火災には適応しない（霧状に放射する場合は適応する）。

3 危険物の性質並びにその火災予防及び消火の方法

40 第4類の危険物に共通する消火の方法

Lesson 41 特殊引火物

Lessonのポイント

- 特殊引火物は、発火点が 100℃以下、または、引火点が－ 20℃以下。
- 二硫化炭素は水より重く、容器に水を張って貯蔵する。
- アセトアルデヒド、酸化プロピレンは水によく溶ける。

特殊引火物とは？

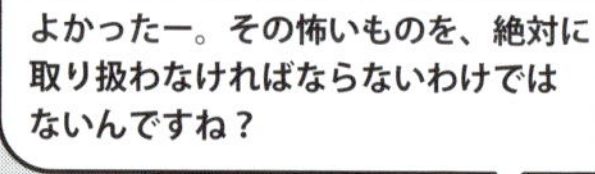

図表で覚えよう！

特殊引火物は、1気圧において発火点が100℃以下のもの、または、引火点が－20℃以下で沸点が40℃以下のものと定義されています。特殊引火物に含まれる主な物品には、ジエチルエーテル、二硫化炭素、アセトアルデヒド、酸化プロピレンがあります。

特殊引火物に含まれる主な物品

特殊引火物（指定数量50L）		
物品名・形状	性　質	危険性・火災予防の方法等
ジエチルエーテル $C_2H_5OC_2H_5$ 無色 刺激臭	比重　0.7 沸点　34.6℃ 引火点　－45℃ 発火点　160℃ 燃焼範囲　1.9～36vol% 蒸気比重　2.6 水にわずかに溶け、アルコールにはよく溶ける。	・日光にさらしたり、空気と長く接触すると過酸化物を生じ、加熱・衝撃等により爆発の危険がある。 ・蒸気には麻酔性がある。 ・貯蔵・取扱いに際しては、直射日光を避ける。
二硫化炭素 CS_2 無色 純品（※1）はほとんど無臭 一般には不純物（※2）のため、特有の不快臭あり	比重　1.3 沸点　46℃ 引火点　－30℃以下 発火点　90℃ 燃焼範囲　1.3～50vol% 蒸気比重　2.6 水には溶けず、エタノール、ジエチルエーテルに溶ける。	・蒸気には毒性がある。 ・燃焼に際して、有毒な二酸化硫黄（亜硫酸ガス・SO_2）を生じる。 ・発火点がきわめて低い。 ・水より重く、水に溶けないので、容器等に水を張って貯蔵し、蒸気の発生を抑える。または、水没させたタンクに貯蔵する。

※1　不純物等を含まない状態のもの
※2　ある物質に含まれる別の物質

第4類の危険物は液比重が1より小さいものが多いけれど、二硫化炭素は例外なんだね。

特殊引火物に含まれる主な物品（続き）

特殊引火物（指定数量 50L）		
物品名・形状	性　質	危険性・火災予防の方法等
アセトアルデヒド CH_3CHO 無色 刺激臭	比重　0.8 沸点　21℃ 引火点　－39℃ 発火点　175℃ 燃焼範囲　4.0～60vol% 蒸気比重　1.5 水によく溶け、アルコール、ジエチルエーテルにも溶ける。 還元性が強い。	・沸点がきわめて低い。 ・蒸気は粘膜を刺激し、有毒である。 ・貯蔵に際しては、窒素ガス等の不活性ガスを封入する。 ・貯蔵タンク、容器は鋼製とする。銅やその合金、銀を使用すると爆発性の化合物を生じるおそれがある。
酸化プロピレン $CH_2—CH—CH_3$（CH_2 と CH が O で結合） 無色 エーテル臭	比重　0.8 沸点　35℃ 引火点　－37℃ 発火点　449℃ 燃焼範囲　2.3～36vol% 蒸気比重　2.0 水、エタノール、ジエチルエーテルによく溶ける。	・重合する性質があり、その際に熱を発生し、火災、爆発の原因になる。 ・銀、銅などの金属に触れると、重合が促進される。 ・蒸気には刺激性がないが、吸入すると有毒である。 ・貯蔵に際しては、窒素ガス等の不活性ガスを封入する。

※ 重合とは、ある化合物の分子が 2 個以上結合して、もとの化合物の整数倍の分子量をもつ化合物を生成する反応をいう。

アセトアルデヒド、酸化プロピレンは水によく溶ける。つまり、水溶性の物質ね。

そう。だから、消火の際に泡消火剤を使用する場合は、水溶性液体用のものにしなければならないのだ。

試験に出るポイントはここだ！

ポイント 1 特殊引火物は、1 気圧において発火点が 100℃以下、または、引火点が－ 20℃以下で沸点が 40℃以下

引火点は燃焼下限値の蒸気を発生する最低の液温のことで、発火点は火源がなくとも自ら発火し燃焼する最低の温度のことをいう（p.171 ～ 172 参照）。

特殊引火物には、燃焼範囲が広いものが多いのも特徴なのだ！

ポイント 2 ジエチルエーテルは、直射日光や、空気との接触により爆発するおそれがある

ジエチルエーテルは、直射日光にさらされたり、空気と長く接触したりすると、過酸化物を生じ、加熱・衝撃等により爆発するおそれがある。

ポイント 3 ジエチルエーテルの蒸気には麻酔性がある

ジエチルエーテルは、無色の液体で、揮発しやすく刺激臭があり、発生する蒸気には麻酔性がある。

ポイント 4 二硫化炭素は、燃焼に際して、有毒な二酸化硫黄を生じる

二硫化炭素の蒸気は有毒である。また、燃焼に際して、有毒な二酸化硫黄（亜硫酸ガスともいう）を生じる。

ポイント 5 二硫化炭素は、容器等に水を張って貯蔵する

二硫化炭素は、比重が 1.3 で水よりも重く、水に溶けない。この性質を利用して、容器等に水を張って貯蔵し、蒸気の発生を抑える。または、水没させたタンクに貯蔵する。

ポイント 6 アセトアルデヒド、酸化プロピレンは水によく溶ける

これらの危険物の火災に泡消火剤を使用する場合は、水溶性液体用の泡消火薬剤（耐アルコール泡）を用いる。

ポイント 7 アセトアルデヒド、酸化プロピレンを貯蔵する場合は、窒素ガス等の不活性ガスを封入する

窒素ガス等の不活性ガスを封入するのは、酸化を防ぐためである。アセトアルデヒドは、酸化すると酢酸になる。

ポイント 8 アセトアルデヒドの貯蔵タンク、容器は鋼製とする

アセトアルデヒドの貯蔵タンクや容器は鋼製とし、銅やその合金、銀は使用してはならない（爆発性の化合物を生じるおそれがあるため）。

ポイント 9 酸化プロピレンは重合する性質がある

酸化プロピレンは重合（p.202 参照）する性質があり、その際に熱を発生し、火災や爆発の原因になる。銀、銅などの金属に触れると、重合が促進される。

ゴロ合わせで覚えよう！

二硫化炭素の貯蔵方法

煮るか？ タン塩、
（二硫化）（炭素）

水に入れて
（水没させて貯蔵）

二硫化炭素は水より重く、水に溶けないので、容器等に水を張って貯蔵し、蒸気の発生を抑える。または、水没させたタンクに貯蔵する。

第一石油類

Lessonのポイント

- 第一石油類は、引火点が 21℃未満。
- 自動車ガソリンの色は、オレンジ系。
- アセトンは、水によく溶ける。

ガソリンの危険性

図表で覚えよう！

第一石油類は、1気圧において引火点が21℃未満のものと定義されています。第一石油類に含まれる主な物品には、ガソリン、ベンゼン、トルエン、アセトンなどがあります。

第一石油類に含まれる主な物品

第一石油類（非水溶性液体・指定数量200L）		
物品名・形状	性　質	危険性・火災予防の方法等
ガソリン （炭化水素の混合物） 無色（製品は着色してある。自動車ガソリンはオレンジ系の色） 特有の臭気	比重　0.65～0.75 沸点範囲　40～220℃ ※ 引火点　－40℃以下 ※ 発火点　約300℃ 燃焼範囲　1.4～7.6vol% 蒸気比重　3～4 ※の数値は自動車ガソリンのもの 水に溶けない。	・蒸気比重が大きく、蒸気が低所に滞留しやすい。 ・電気の不導体であり、流動する際などに静電気を生じやすい。
ベンゼン C_6H_6 無色 揮発性芳香	比重　0.9 沸点　80℃ 融点　5.5℃ 引火点　－11.1℃ 発火点　498℃ 燃焼範囲　1.2～7.8vol% 蒸気比重　2.8 水には溶けないが、アルコール、ジエチルエーテルなどの有機溶剤によく溶ける。	・有機物をよく溶かす。 ・電気の不導体であり、流動する際などに静電気を生じやすい。 ・揮発性を有し、その蒸気は有毒で、吸入すると、急性または慢性の中毒症状を呈する。 ・冬季に固化したものも引火の危険性がある。
トルエン $C_6H_5CH_3$ 無色 特有の臭気	比重　0.9 沸点　111℃ 融点　－95℃ 引火点　4℃ 発火点　480℃ 燃焼範囲　1.1～7.1vol% 蒸気比重　3.1 水には溶けないが、アルコール、ジエチルエーテルなどの有機溶剤によく溶ける。	・電気の不導体であり、流動する際などに静電気を生じやすい。 ・蒸気は有毒であるが、毒性はベンゼンよりも低い。

第一石油類に含まれる主な物品（続き）

第一石油類（非水溶性液体・指定数量 200L）		
物品名・形状	性　質	危険性・火災予防の方法等
n-ヘキサン C_6H_{14} 無色 かすかな特有の臭気	比重　0.7 沸点　69℃ 融点　−95℃ 引火点　−20℃以下 燃焼範囲　1.1 ～ 7.5vol% 蒸気比重　3.0 水に溶けない。エタノール、ジエチルエーテルなどによく溶ける。	・電気の不導体であり、流動する際などに静電気を生じやすい。
エチルメチルケトン $CH_3COC_2H_5$ 無色 アセトンに似た臭気	比重　0.8 沸点　80℃ 融点　−86℃ 引火点　−9℃ 発火点　404℃ 燃焼範囲　1.4 ～ 11.4vol% 蒸気比重　2.5 水にわずかに溶け、アルコール、ジエチルエーテルなどにはよく溶ける。	・非水溶性液体に分類されているが、わずかに水に溶けるため、消火の際に泡消火剤を使用する場合は、水溶性液体用の泡消火薬剤（耐アルコール泡）を用いる。
第一石油類（水溶性液体・指定数量 400L）		
物品名・形状	性　質	危険性・火災予防の方法等
アセトン CH_3COCH_3 無色 特有の臭気	比重　0.8 沸点　56℃ 引火点　−20℃ 発火点　465℃ 燃焼範囲　2.5 ～ 12.8vol% 蒸気比重　2.0 水によく溶け、アルコール、ジエチルエーテルなどにも溶ける。	・消火の際に泡消火剤を使用する場合は、水溶性液体用の泡消火薬剤（耐アルコール泡）を用いる。

アセトンは水溶性の第４類危険物の代表的なものだ。試験にもよくでてくるので、しっかり覚えておこう。

試験に出るポイントはここだ！

ポイント 1 第一石油類は、1気圧において引火点が21℃未満

第一石油類は、非水溶性液体と水溶性液体に区分されている。第一石油類で水溶性の物品は、アセトンである。

ポイント 2 ガソリンは、炭化水素を主成分とする混合物

ガソリンは、炭化水素を主成分とする混合物で、不純物として、微量の有機硫黄化合物などが含まれることがある。

ポイント 3 自動車ガソリンは、オレンジ系の色に着色されている

ガソリンは、自動車ガソリン、工業ガソリン、航空ガソリンの3種類に分けられる。ガソリン自体は無色だが、自動車ガソリンは、オレンジ系の色に着色されている。

自動車ガソリンに着色してあるのは、灯油や軽油と見分けやすくするためなのだ！

ポイント 4 ガソリンの蒸気を吸引すると、頭痛やめまいを起こすことがある

ガソリンの蒸気を吸引すると、頭痛やめまいを起こすことがある。また、ガソリンが皮膚に触れると、皮膚炎を起こすことがある。

ポイント 5 ガソリンを貯蔵していたタンクにそのまま灯油を入れると、爆発するおそれがある

タンク内に残ったガソリンの蒸気が灯油に吸収されて、蒸気の濃度が燃焼範囲内に下がり、灯油の流入により発生した静電気の火花放電に引火して、爆発するおそれがある。

ポイント 6 ベンゼンの蒸気は、強い毒性をもつ

ベンゼンは揮発性を有し、発生する蒸気は毒性が強く、吸入すると、急性、または慢性の中毒症状を呈する。トルエンの蒸気も有毒であるが、毒性はベンゼンよりも低い。

ポイント 7 ベンゼン、トルエン、キシレンは、その順に引火点が低い

ベンゼン、トルエン、キシレン（第二石油類）は、いずれも、炭素原子６個からなるベンゼン環という構造をもつ物質で、芳香族炭化水素という。引火点は、ベンゼンが－11.1℃で最も低く、以下は、トルエン、キシレンの順である。

ポイント 8 エチルメチルケトンは、水にわずかに溶ける

エチルメチルケトンは、第一石油類の非水溶性液体に分類されているが、水にわずかに溶ける。したがって、エチルメチルケトンの火災に泡消火剤を使用する場合は、水溶性液体用の泡消火薬剤（耐アルコール泡）を用いる。

ポイント 9 アセトンは、水によく溶ける

アセトンは、第一石油類の水溶性液体に分類されており、水によく溶ける。したがって、アセトンの火災に泡消火剤を使用する場合は、水溶性液体用の泡消火薬剤（耐アルコール泡）を用いる。

重要用語を覚えよう！

芳香族炭化水素

芳香族炭化水素とは、分子中に炭素原子６個が環状につながったベンゼン環という構造をもつ炭化水素で、ベンゼン、トルエン、キシレンなどがある。

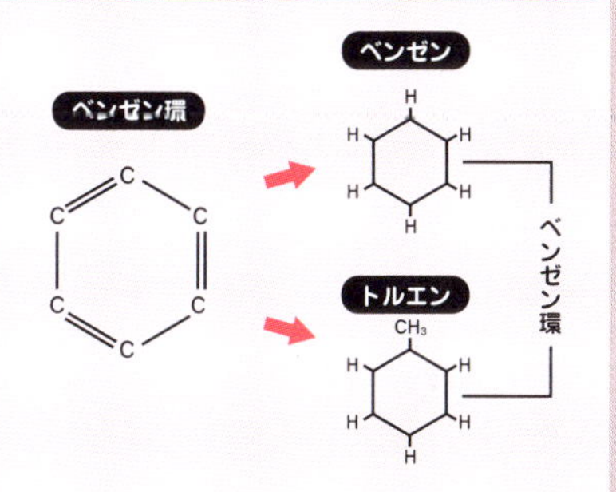

有機化合物には、炭素原子が鎖状につながった鎖式化合物と、炭素原子が環状につながった環式化合物がある。芳香族炭化水素は後者に含まれる。

Lesson 43 第3章 危険物の性質並びにその火災予防及び消火の方法

アルコール類

Lessonのポイント

- アルコール類の主な物品は、メタノール、エタノール。
- メタノールには毒性、エタノールには麻酔性がある。
- メタノール、エタノールともに水によく溶ける。

アルコール類の定義

図表で覚えよう！

メタン（CH_4）、エタン（C_2H_6）などの脂肪族炭化水素の水素原子をヒドロキシ基（－OH）に置き換えた形の化合物をアルコールといいますが、消防法で定められた危険物のアルコール類は、一分子を構成する炭素原子が１個から３個までの飽和１価アルコール（ヒドロキシ基を１つもつもの）と定義されています。また、アルコールの含有量が60%未満の水溶液は含みません。

アルコール類に含まれる主な物品

アルコール類（指定数量400L）		
物品名・形状	性　質	危険性・火災予防の方法等
メタノール CH_3OH 無色 特有の芳香 別名：メチルアルコール	比重　0.8 沸点　64℃ 融点　－97℃ 引火点　11℃ 発火点　464℃ 燃焼範囲　6.0～36vol% 蒸気比重　1.1 水、エタノール、ジエチルエーテルなど有機溶剤に溶ける。	・引火点が11℃で、夏季など液温が高いときは、ガソリン同様の引火の危険がある。 ・毒性がある。 ・炎の色が淡く、燃焼していても見えにくい。
エタノール C_2H_5OH 無色 特有の芳香と味 別名：エチルアルコール	比重　0.8 沸点　78℃ 融点　－114℃ 引火点　13℃ 発火点　363℃ 燃焼範囲　3.3～19vol% 蒸気比重　1.6 酒類の主成分で、水によく溶ける。	・毒性はないが、麻酔性がある。 ・その他の危険性等はメタノールに準ずる。

試験に出るポイントはここだ！

ポイント 1 メタノール、エタノールは、ともに、常温でも引火する危険性がある

メタノールの引火点は 11℃、エタノールの引火点は 13℃で、ともに、常温（20℃）でも引火する危険性がある。夏季など、液温が高いときは、引火の危険性はガソリン同様となる。

ポイント 2 メタノールには毒性があり、エタノールには毒性はない

メタノールには毒性があるが、酒類の主成分であるエタノールには毒性はなく、麻酔性がある。

エタノールに麻酔性があるから、お酒を飲むと酔っぱらうのね。

ポイント 3 メタノールは、炎の色が淡く、燃焼しても見えにくい

メタノールは、炭素数が少ないので、炎の色が淡く、燃焼しても見えにくい。エタノールの炎も青白く淡い色である。

ポイント 4 メタノール、エタノールは、ともに、水と任意の割合で溶け合う

メタノール、エタノールは、ともに、水、および多くの有機溶剤と任意の割合で溶け合う。

ポイント 5 メタノールは、アルコール類では最も分子量が小さい

メタノール（CH_3OH）は、アルコール類の中では最も分子構造が単純な物質である。炭素原子（C）の分子量を 12、水素原子（H）を 1、酸素原子（O）を 16 とすると、メタノールの分子量は 32 で、アルコール類で最も分子量が小さい。

ポイント 6 メタノールは、エタノールよりも燃焼範囲が広く、沸点が低い

メタノールは、エタノールよりも燃焼範囲が広く、沸点が低い。燃焼範囲の下限値はエタノールのほうが低いが、引火点はメタノールのほうがやや低い。

ポイント 7 メタノール、エタノールは、いずれも飽和１価アルコールである

消防法で定められた危険物のアルコール類に含まれるのは、一分子を構成する炭素原子が１個から３個までの飽和１価アルコールである。

１価アルコールとは、ヒドロキシ基（-OH）を１つだけもつものだ。飽和とは、分子を構成する原子の結合の仕方に関係することなのだが、少し難しいのでここでは省略するよ。

ポイント 8 メタノール、エタノールの火災には、一般の泡消火剤は適応しない

メタノール、エタノールは、ともに水溶性なので、これらの危険物の火災に泡消火剤を使用する場合は、水溶性液体用の泡消火薬剤（耐アルコール泡）を用いる。

ゴロ合わせで覚えよう！

メタノール、エタノールの性質

滅多に会わない、
（メタノール）

毒舌の友から得たのは、
（毒性）（エタノール）

まずいメシ
（麻酔性）

メタノールには毒性があるが、エタノールには毒性はなく、麻酔性がある。

Lesson 44

第3章 危険物の性質並びにその火災予防及び消火の方法

第二石油類

Lessonのポイント

- 第二石油類は、引火点が 21℃以上 70℃未満。
- 灯油は、無色または黄色を帯びる。軽油は、淡黄色または淡褐色。
- 灯油にガソリンを混合すると、引火点が下がる。

灯油の性状

図表で覚えよう！

第二石油類は、1 気圧において引火点が 21℃以上 70℃未満のものと定義されています。第二石油類に含まれる主な物品には、灯油、軽油などがあります。

第二石油類に含まれる主な物品

第二石油類（非水溶性液体・指定数量 1000L）		
物品名・形状	性　質	危険性・火災予防の方法等
灯油 （炭化水素の混合物） 無色または淡黄色 特有の臭気	比重　0.8 程度 沸点範囲　145 ～ 270℃ 引火点　40℃以上（市販品は 45 ～ 55℃） 発火点　220℃ 燃焼範囲　1.1 ～ 6.0vol% 蒸気比重　4.5 水に溶けない。 油脂などを溶かす。	・液温が引火点以上に上昇したときは、ガソリン同様の引火の危険がある。 ・霧状になって浮遊するとき、布などの繊維にしみこんだときは、空気との接触面積が大きくなるので危険性が増す。 ・蒸気比重が大きく、低所に滞留しやすい。 ・ガソリンが混合されると引火しやすくなる。
軽油 （炭化水素の混合物） 淡黄色または淡褐色 石油臭	比重　0.85 程度 沸点範囲　170 ～ 370℃ 引火点　45℃以上 発火点　220℃ 燃焼範囲　1.0 ～ 6.0vol% 蒸気比重　4.5 水に溶けない。	・危険性等は灯油と同様。
クロロベンゼン C_6H_5Cl 無色 特有の臭気	比重　1.1 沸点　132℃ 融点　－44.9℃ 引火点　28℃ 燃焼範囲　1.3 ～ 9.6vol% 蒸気比重　3.9 水に溶けず、アルコール、ジエチルエーテルには溶ける。	・やや麻酔性がある。 ・液温が引火点以上に上昇したときは、ガソリン同様の引火の危険がある。 ・霧状になって浮遊するとき、布などの繊維にしみこんだときは、空気との接触面積が大きくなるので危険性が増す。 ・蒸気比重が大きく、低所に滞留しやすい。

第二石油類に含まれる主な物品(続き)

第二石油類(非水溶性液体・指定数量 1000L)		
物品名・形状	性　質	危険性・火災予防の方法等
キシレン $C_6H_4(CH_3)_2$ 無色 特有の臭気 オルトキシレン、メタキシレン、パラキシレンの 3 つの異性体が存在する(順に、O、M、P と略す)	比重　O　0.88　M, P　0.86 沸点　O　144℃　M　139℃ P　138℃ 融点　O　－25.2℃ M　－47.7℃　P　13.2℃ 引火点　O　33℃　M　28℃ P　27℃ 燃焼範囲　O　1.0 ～ 6.0vol% M, P　1.1 ～ 7.0vol% 蒸気比重　3.66 水に溶けない。	・危険性等はクロロベンゼンと同様。
n- ブチルアルコール $CH_3(CH_2)_3OH$ 無色 炭素数が 4 なので、危険物としてはアルコール類に分類されない	比重　0.8 沸点　117.3℃ 融点　－90℃ 引火点　37℃ 発火点　343℃ 燃焼範囲　1.4 ～ 11.2vol% 水にはほとんど溶けない。	・危険性等は灯油に準ずる。
第二石油類(水溶性液体・指定数量 2000L)		
物品名・形状	性　質	危険性・火災予防の方法等
酢酸 CH_3COOH (氷酢酸) 一般に、濃度が 96%以上のものを氷酢酸という 無色 刺激臭 ※食酢は、3 ～ 5%の水溶液	比重　1.05 沸点　118℃ 融点　16.7℃ 引火点　39℃ 発火点　463℃ 燃焼範囲　4.0 ～ 19.9vol% 蒸気比重　2.1 約 17℃以下で凝固する。 水、エタノール、ジエチルエーテル、ベンゼンによく溶け、エタノールと反応して酢酸エステルを生じる。 水溶液は弱酸性。	・金属、コンクリートを腐食する。 ・高純度のものより、水溶液のほうが腐食性が強い。 ・皮膚を腐食し火傷を起こす。 ・濃い蒸気を吸入すると、粘膜に炎症を起こす。

試験に出るポイントはここだ！

ポイント 1 第二石油類は、1 気圧において引火点が 21℃以上 70℃未満

消防法により、第二石油類は、1 気圧において引火点が 21℃以上 70℃未満のものと定義されている。第二石油類は、非水溶性液体と水溶性液体に区分されている。

ポイント 2 灯油、軽油は、常温では引火しない

灯油の引火点は 40℃以上（市販品は 45 ～ 55℃）、軽油の引火点は 45℃以上で、ともに常温（20℃）程度では引火しない。ただし、加熱などにより液温が引火点以上になったときは、ガソリン同様の引火の危険がある。

ポイント 3 灯油、軽油は、霧状になって浮遊する場合には危険性が増す

灯油、軽油は、霧状になって浮遊するとき、布などの繊維にしみこんだときなどは、空気との接触面積が大きくなり、蒸気の濃度が燃焼範囲に達しやすくなるので、危険性が増大する。

霧状や、布にしみこんだ状態の灯油は、常温でも引火することがある。だから、衣服に灯油がしみこんでいるときに火気に近づくと危険なのだ！

ポイント 4 灯油にガソリンを混合すると、引火の危険性が高くなる

灯油にガソリンを混合すると、灯油よりも引火点が低くなり、引火の危険性がより高くなる。

ポイント 5 灯油、軽油は、流動により静電気を蓄積しやすい

灯油、軽油は、ともに電気の不導体で、流動により静電気を蓄積しやすい。貯蔵・取扱いにあたっては、激しい動揺や流動を避ける。

ポイント 6 灯油は無色またはやや黄色を帯びた液体、軽油は、淡黄色または淡褐色の液体である

灯油、軽油は、ともに原油の蒸留によって得られる炭化水素の混合物で、灯油は、無色またはやや黄色を帯びた、軽油は、淡黄色または淡褐色の液体である。引火点は、軽油のほうがやや高い。

軽油は、トラックなどのディーゼルエンジンの燃料になるので、ディーゼル油ともよばれているよ。

ディーゼルエンジンは、圧縮して高温にした空気の中に、軽油などの燃料を吹き付けて爆発させるしくみなのだ。

ポイント 7 クロロベンゼンには、麻酔性がある

クロロベンゼンは、無色透明の液体で、若干の麻酔性がある。引火点は、常温よりやや高い 28℃である。

ポイント 8 キシレンには、3 種類の異性体が存在する

キシレンは、特有の臭気を有する無色の液体で、オルトキシレン、メタキシレン、パラキシレンの 3 種類の異性体（p.141 参照）が存在する。

ポイント 9 n- ブチルアルコールは、無色の液体で、第二石油類に分類される

n-（ノルマル）ブチルアルコールは、無色透明の液体で、ブチルアルコール（ブタノール）の異性体の一つである。炭素数が 4 なので、消防法上の危険物としては、アルコール類でなく、第二石油類に分類される。

ポイント 10 高濃度の酢酸は、約 17℃で凝固する

高濃度（一般に 96%以上）の酢酸は、融点（凝固点）が常温に近く、約 17℃で氷結（凝固）するため、氷酢酸ともよばれる。

ポイント 11 酢酸は、エタノールと反応して酢酸エステルを生成する

酢酸は、エタノールと反応して酢酸エステルを生成する。エステルとは、酸とアルコールが縮合して生成される化合物の総称である。

縮合とは、2つ以上の分子から、水などの簡単な分子が分離して、新たな化合物ができる反応のことなのだ！

ポイント 12 酢酸は、金属、コンクリートを腐食する

酢酸は、金属、コンクリートを腐食する。高純度のものより、水溶液のほうが腐食性が強い。

ポイント 13 アクリル酸は、非常に重合しやすい

アクリル酸は、非常に重合（p.202参照）しやすく、重合反応による発熱でさらに反応が促進され、爆発するおそれがある。そのため、通常は重合禁止剤が添加されており、必要に応じてそれを除去して使用する。

ゴロ合わせで覚えよう！

キシレンの性状

3股をかける男の
（3股＝3人の異性＝3種類の異性体）

気が知れん！
（キ）（シレン）

キシレンには、3種類の異性体が存在する。

Lesson 45

第3章 危険物の性質並びにその火災予防及び消火の方法

第三石油類・第四石油類

Lessonのポイント

- ●第三石油類は、引火点が70℃以上200℃未満。
- ●第四石油類は、引火点が200℃以上250℃未満。
- ●引火点の高い危険物は、燃焼時の液温が高く、消火が困難！

引火点の高い液体の燃焼

図表で覚えよう！

第三石油類は、1 気圧において引火点が 70℃以上 200℃未満のものと定義されています。第三石油類に含まれる主な物品には、重油、クレオソート油などがあります。第四石油類は、1 気圧において引火点が 200℃以上 250℃未満のものと定義されています。ギヤー油、シリンダー油などが含まれます。

第三石油類に含まれる主な物品

第三石油類（非水溶性液体・指定数量 2000L）		
物品名・形状	性　質	危険性・火災予防の方法等
重油 （炭化水素の混合物） 褐色または暗褐色 粘性がある	比重　0.9 ～ 1.0（一般に水よりやや軽い） 沸点　300℃以上 引火点　60 ～ 150℃（1 種、2 種は 60℃以上、3 種は 70℃以上） 発火点　250 ～ 380℃ 水に溶けない。	・不純物として含まれる硫黄が燃焼すると、有害な二酸化硫黄（SO_2）になる。 ・加熱しない限り引火の危険性は小さいが、霧状になったものは引火点以下でも危険性がある。 ・燃焼温度が高く、いったん燃焼すると消火が困難である。
クレオソート油 （炭化水素の混合物） 黄色または暗緑色 特異臭	比重　1.0 以上 沸点　200℃以上 引火点　73.9℃ 発火点　336.1℃ 水に溶けないが、アルコール、ベンゼン等に溶ける。	・加熱しない限り引火の危険性は小さいが、霧状になったものは引火点以下でも危険性がある。 ・燃焼温度が高く、いったん燃焼すると消火が困難である。 ・蒸気は有害である。
アニリン $C_6H_5NH_2$ 無色または淡黄色（通常は、光や空気の作用により褐色に変化している） 特異臭	比重　1.01 沸点　184.6℃ 引火点　70℃ 発火点　615℃ 蒸気比重　3.2 水に溶けにくく、エタノール、ジエチルエーテル、ベンゼンにはよく溶ける。	・危険性等はクレオソート油と同様。

第三石油類に含まれる主な物品（続き）

第三石油類（非水溶性液体・指定数量 2000L）		
物品名・形状	性　質	危険性・火災予防の方法等
ニトロベンゼン $C_6H_5NO_2$ 淡黄色または 暗黄色 芳香がある	比重　1.2 沸点　211℃ 引火点　88℃ 融点　5.8℃ 発火点　482℃ 蒸気比重　4.3 水に溶けにくく、エタノール、ジエチルエーテルに溶ける。	・加熱しない限り引火の危険性は小さい。 ・蒸気は有毒である。

第三石油類（水溶性液体・指定数量 4000L）		
物品名・形状	性　質	危険性・火災予防の方法等
グリセリン $C_3H_5(OH)_3$ 無色 無臭 甘みがある 粘性がある	比重　1.3 沸点　291℃ 融点　18.1℃ 引火点　199℃ 発火点　370℃ 蒸気比重　3.1 水、エタノールに溶けるが、二硫化炭素、ガソリン、ベンゼン、灯油、軽油等には溶けない。 吸湿性がある。	・加熱しない限り引火の危険性は小さい。

第四石油類の定義と特徴

第四石油類（指定数量 6000L）		
定　義	該当するもの	性質・危険性等
1 気圧において、引火点が 200℃以上 250℃未満	ギヤー油、シリンダー油、タービン油、マシン油、切削油等の潤滑油や、可塑剤など	・引火点が高く、加熱しない限り引火の危険性はない。 ・燃焼温度が高く、いったん燃焼すると消火が困難である。

試験に出るポイントはここだ！

ポイント 1 第三石油類は、1気圧において引火点が70℃以上200℃未満

消防法により、第三石油類は、1気圧において引火点が70℃以上200℃未満のものと定義されている。第三石油類は、非水溶性液体と水溶性液体に区分されている。

ポイント 2 重油は、褐色または暗褐色の粘性のある液体

重油は、褐色または暗褐色の粘性のある液体である。比重は0.9～1.0で、一般に水よりやや軽い。

ポイント 3 重油は、1種（A重油）、2種（B重油）、3種（C重油）に分類されている

日本産業規格（JIS）では、重油を、粘度により1種（A重油）、2種（B重油）、3種（C重油）に分類している。1種、2種は引火点60℃以上、3種は引火点70℃以上である。

A重油は、農業機械や小型の船舶、ボイラーなどの燃料として、B重油、C重油は、大型の船舶や火力発電所などの燃料として使われているのだ！

ポイント 4 重油に含まれる硫黄は、燃焼すると有毒なガスを生じる

重油には、不純物として硫黄が含まれており、その硫黄が燃焼すると、有毒なガスである二酸化硫黄（SO_2）が生じる。

ポイント 5 重油は、燃焼時には液温が非常に高くなっており、いったん燃焼すると消火が困難

重油は、引火点が60℃以上と高く、常温で取り扱えば引火する危険性は小さいが、加熱されて液温が引火点以上に上昇すると引火し、いったん燃え始めると、液温が高くなっているため、消火はきわめて困難になる。

ポイント 6 アニリンは、無色または淡黄色の液体だが、光や空気に触れると褐色に変化する

アニリンは、無色または淡黄色の液体で、特異臭があり、毒性がある。光や空気に触れると褐色に変化する。

ポイント 7 グリセリンには、吸湿性がある

グリセリンは、3価のアルコール（ヒドロキシ基 -OH を3つもつアルコール）の代表的なもので、甘みのある無色の液体で、吸湿性がある。爆薬のニトログリセリンの原料になるほか、医薬品や化粧品などに利用される。

ポイント 8 第四石油類は、1気圧において引火点が200℃以上250℃未満

消防法により、第四石油類は、1気圧において引火点が200℃以上250℃未満のものと定義されている。ギヤー油、シリンダー油などの潤滑油が含まれる。

ポイント 9 第四石油類は、燃焼時には液温が非常に高くなっており、いったん燃焼すると消火が困難

第四石油類は、引火点が高く、加熱しない限り引火する危険性はないが、いったん燃焼した場合は、液温が非常に高くなっていることから、消火が困難である。

ゴロ合わせで覚えよう！

重油の性状

重要なことを言おう…
（重油）（硫黄）

言うとくわ…
（有毒ガス）

燃えてます！
（燃えると）

重油に含まれる硫黄が燃えると、有毒ガスである二酸化硫黄（SO_2）が生じる。

Lesson 46 動植物油類

Lessonのポイント

- 動植物油類は、引火点が 250℃未満。
- 引火点が高く、燃焼時の液温が高いので消火が困難！
- ヨウ素価の大きい乾性油は、自然発火しやすい。

引火点の高い危険物の火災

図表で覚えよう！

動植物油類は、動物の脂肉等、または植物の種子もしくは果肉から抽出したもので、1気圧において引火点が250℃未満のものと定義されています。動植物油類は、布などにしみこんだ状態で放置すると、自然発火することがあります。

動植物油類の定義と特徴

動植物油類（指定数量 10000L）		
定　義	該当するもの	性質・危険性等
動物の脂肉等、または植物の種子もしくは果肉から抽出したもので、1気圧において引火点が250℃未満のもの	ツバキ油、オリーブ油、ヒマシ油、ヤシ油、ゴマ油、ナタネ油、綿実油、アマニ油、キリ油、大豆油など	・比重は1より小さく、約0.9である。 ・一般に無色透明である。 ・水に溶けない。 ・布などにしみこんだものは、不飽和結合部の酸化により発熱し、蓄熱条件により自然発火する場合がある。 ・蒸発しにくく、引火しにくいが、いったん燃焼すると消火が困難である。

動植物油類の自然発火とヨウ素価

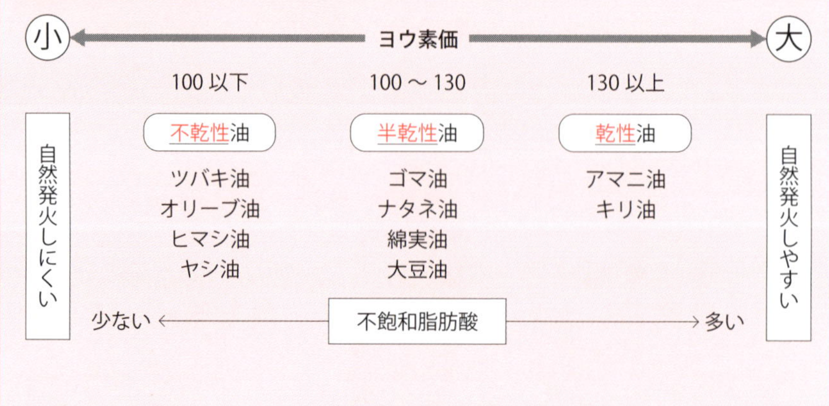

試験に出るポイントはここだ！

ポイント 1 動植物油類の引火点は 250℃未満

動植物油類は、動物の脂肉等、または植物の種子もしくは果肉から抽出したもので、1 気圧において引火点が 250℃未満のものと定義されている。

ポイント 2 動植物油類は、水よりも軽く、水に溶けない

動植物油類は、比重約 0.9 で水よりも軽く、水に溶けない。一般に、純粋なものは無色透明である。

ポイント 3 動植物油類は、蒸発しにくく、引火しにくい

動植物油類は、引火点が高く、蒸発しにくいので、加熱しない限り引火する危険性はない。ただし、いったん燃焼した場合は、液温が非常に高くなっていることから、消火が困難である。

ポイント 4 動植物油類は、引火点が高いので、燃焼中は液温が非常に高い

液温の高い危険物に注水すると、水が急激に蒸発し、その力で危険物を飛散させ、火災を著しく拡大させるおそれがある。

引火点の高い液体の危険物は、液温が高くならなければ燃焼しない。逆にいうと、燃焼している場合は液温が高いのだ！

ポイント 5 動植物油類は、布などにしみこんだ状態で放置すると、自然発火することがある

動植物油類は、ぼろ布等にしみこんだ状態で放置しておくと、不飽和結合部の酸化により発熱し、蓄熱条件によって自然発火に至る場合がある。

ポイント 6 動植物油類では、ヨウ素価の大きいものほど自然発火しやすい

ヨウ素価とは、油脂などの性状を評価する値で、脂肪100gに吸収されるヨウ素のグラム数で表される。ヨウ素価の大きい油脂は、不飽和脂肪酸を多く含み、酸化されやすい。

ポイント 7 動植物油類には、乾性油、半乾性油、不乾性油がある

油脂類には、空気中に放置すると酸化されて固化し、乾燥しやすいものと、そうでないものがある。乾きやすさはヨウ素価の大小に関係し、油脂類はヨウ素価の大きい順に、乾性油、半乾性油、不乾性油に分けられる（p.226参照）。

ポイント 8 動植物油類では、乾性油が最も自然発火しやすい

乾性油はヨウ素価が大きく、不飽和脂肪酸を多く含み、酸化されやすい。乾性油には、アマニ油、キリ油などがある。

ポイント 9 動植物油類の貯蔵に際しては、換気をよくし、熱が蓄積されないようにする

ぼろ布等にしみこんだ状態で、風通しの悪い場所に積み重ねておくなど、酸化により生じた熱が蓄積されやすい条件に置かれると自然発火しやすい。

ゴロ合わせで覚えよう!

動植物油類の性状

完成してみると、
（乾性油）
予想外に大きかった…
（ヨウ素価）（大きい）

乾性油はヨウ素価が大きく、不飽和脂肪酸を多く含み、酸化されやすく、動植物油類では最も自然発火しやすい。

Lesson 47 第4類の危険物の相互比較

Lessonのポイント

- 第４類の危険物の引火点を比較しよう。
- 第４類の危険物のうち、水に溶けるものは？
- 第４類の危険物のうち、比重が１より大きいものは？

第４類の危険物の比較

図表で覚えよう！

第４類の危険物は、引火点の低いものから引火点の高いものまでさまざまですが、引火点が常温（20℃）より低いものと常温より高いものに分けると、下図のようになります。次ページの図では、水溶性のものと非水溶性のものを比較しています。

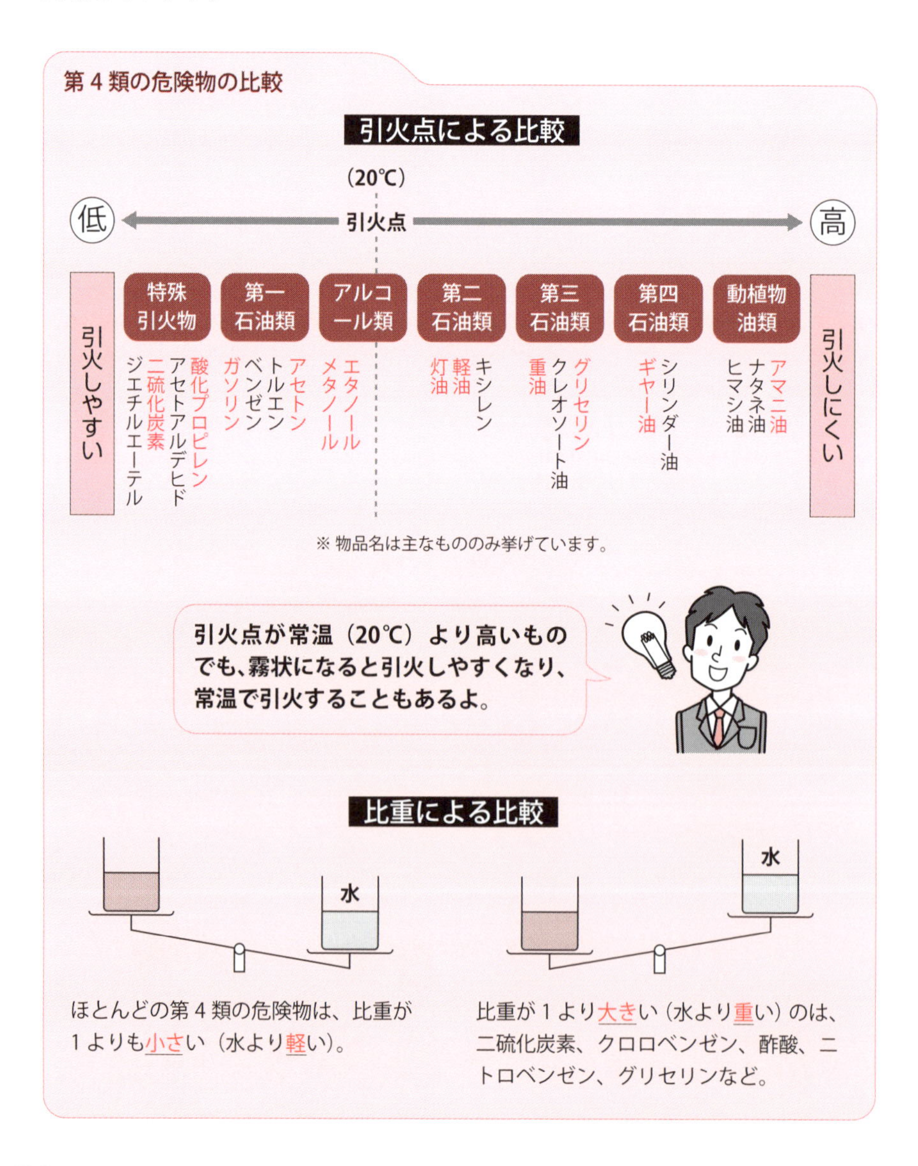

第４類の危険物の比較（続き）

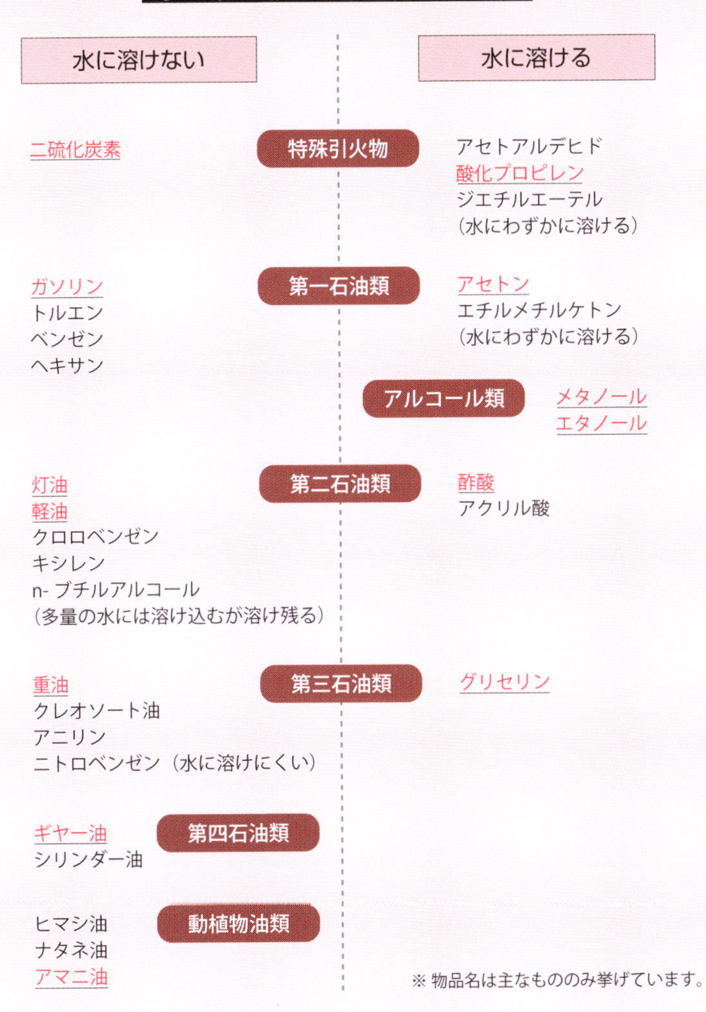

水に溶けない		水に溶ける
二硫化炭素	特殊引火物	アセトアルデヒド 酸化プロピレン ジエチルエーテル （水にわずかに溶ける）
ガソリン トルエン ベンゼン ヘキサン	第一石油類	アセトン エチルメチルケトン （水にわずかに溶ける）
	アルコール類	メタノール エタノール
灯油 軽油 クロロベンゼン キシレン n- ブチルアルコール （多量の水には溶け込むが溶け残る）	第二石油類	酢酸 アクリル酸
重油 クレオソート油 アニリン ニトロベンゼン（水に溶けにくい）	第三石油類	グリセリン
ギヤー油 シリンダー油	第四石油類	
ヒマシ油 ナタネ油 アマニ油	動植物油類	

※ 物品名は主なもののみ挙げています。

第４類の危険物は、水に溶けないものがほとんどなので、水に溶けるものを覚えるのが早そうね。

試験に出るポイントはここだ！

ポイント 1 引火点が常温より低いのは、特殊引火物、第一石油類と、一部を除くアルコール類

第４類の危険物のうち、引火点が常温（20℃）より低いのは、特殊引火物、第一石油類と、メタノール、エタノールなどのアルコール類である（アルコール類には、引火点が 20℃を少し超えるものもある）。

灯油や軽油は、引火点が常温よりやや高いけれど、加熱されるとすぐ引火点に達するので、ガソリンと同様の危険性が生じるよ。

ポイント 2 ガソリン、灯油、軽油、重油などは、炭化水素の混合物

第４類の危険物のうち、ガソリン、灯油、軽油、重油などは、原油の分留などにより得られる、炭化水素の混合物である。

ポイント 3 ガソリン、灯油、軽油、重油は、その順に引火点が低い

ガソリンの引火点は－40℃以下、灯油の引火点は 40℃以上、軽油の引火点は 45℃以上、重油の引火点は 60～150℃で、一般に、ガソリン、灯油、軽油、重油の順に引火点が低い。

ポイント 4 特殊引火物のうち、水に溶けるのは、アセトアルデヒド、酸化プロピレン

特殊引火物のうち、アセトアルデヒド、酸化プロピレンは水によく溶ける。また、ジエチルエーテルは、水にわずかに溶ける。

ポイント 5 第一石油類のうち、水に溶けるのはアセトンなど

第一石油類のうち、水溶性液体に分類されている危険物としては、アセトンが代表的である。また、非水溶性液体に分類されているエチルメチルケトンも、水にわずかに溶ける。

ポイント 6 アルコール類は水に溶ける

化学物質としてのアルコールには水に溶けにくいものもあるが、第４類の危険物としてのアルコール類に分類されるものは、炭素数が１～３と少なく、一般に水によく溶ける（炭素数の多いアルコールほど水に溶けにくい）。

ポイント 7 第二石油類のうち、水に溶けるのは酢酸など

第二石油類のうち、水溶性液体に分類されている危険物としては、酢酸、アクリル酸が代表的である。

ポイント 8 第三石油類のうち、水に溶けるのはグリセリンなど

第三石油類のうち、水溶性液体に分類されている危険物としては、グリセリンが代表的である。

ポイント 9 第四石油類、動植物油類は、水に溶けない

第４類の危険物のうち、第四石油類、動植物油類に含まれるものは、一般に水に溶けない。

ポイント 10 水溶性の危険物の火災には、一般の泡消火剤は適応しない

第４類の危険物のうち、水溶性の危険物の火災には、一般の泡消火剤でなく、水溶性液体用の泡消火薬剤（耐アルコール泡）を用いる。

水溶性の危険物の火災に普通の泡消火剤を使用すると、泡が溶かされて消滅してしまい、窒息効果が得られないのです。

ポイント 11 二硫化炭素は、比重が１よりも大きい

第４類の危険物のほとんどは、液比重が１よりも小さいが、特殊引火物に含まれる二硫化炭素は、比重が 1.3 で、水より重い。

ポイント 12 ニトロベンゼン、酢酸などは、比重が１よりも大きい

第４類の危険物のうち、液比重が１よりも大きいものは、二硫化炭素のほか、第二石油類のクロロベンゼン、酢酸、アクリル酸と、重油を除く第三石油類の多く（クレオソート油、アニリン、ニトロベンゼン、グリセリンなど）である。

ポイント 13 特殊引火物、メタノール等の危険物は、燃焼範囲が広い

また、第二石油類の酢酸、第三石油類のニトロベンゼンなども、燃焼範囲の広い危険物である。

ポイント 14 動植物油類のうち、乾性油は自然発火しやすい

動植物油類に含まれる危険物のうち、アマニ油、キリ油などの乾性油（p.228 参照）は、布にしみこんだ状態で積み重ねるなど、酸化熱が蓄積されやすい条件に置かれると、自然発火しやすい。

ゴロ合わせで覚えよう！

第４類の危険物のうち、常温で引火するもの

用意はいいか？
（引火）

いつものように、特殊な姿で、
（常温）　（特殊引火物）

大地を踏みしめて歩こう！
（第一石油類）　（アルコール類）

第４類の危険物のうち、常温（20℃）で引火するのは、特殊引火物、第一石油類と、一部を除くアルコール類。

Lesson 48

第３章　危険物の性質並びにその火災予防及び消火の方法

第４類の危険物の事故事例と対策

Lessonのポイント

●第４類の危険物の事故にはどのようなものがあるだろうか。
●第４類の危険物の事故を防止するための正しい対策は？
●第４類の危険物の事故が発生した場合の正しい措置は？

第４類の危険物の事故事例

事故事例①

移動貯蔵タンクから、地下貯蔵タンクに、荷卸しとして重油を注入する際に、作業者が誤って注入ホースを他のタンクの注入口に接続したために、地下貯蔵タンクの計量口と通気管から重油が噴出した。

○事故防止のための正しい対策

- 注入作業は、荷卸し側（移動タンク貯蔵所）、受入れ側（地下タンク貯蔵所）の双方の危険物取扱者が立会い、誤りのないよう確認して実施する。
- 注入を開始する前に、移動貯蔵タンクと地下貯蔵タンクの油量を確認する。
- 地下貯蔵タンクの注入管に、過剰注入防止装置を設置する。
- 地下貯蔵タンクの計量口は、計量時以外は閉鎖しておく。

事故事例②

軽トラックの荷台に、灯油入りのポリエチレン容器を、エレファントノズルを付けた状態で密栓せずに積載して運搬したところ、衝撃により容器が転倒し、灯油が路上に流出した。

○事故防止のための正しい対策

- 運搬容器は基準に適合したものを使用し、必ず密栓する。
- 運搬容器が転倒しないよう、転倒防止措置を講じて積載する。
- 運搬容器は、収納口を上方に向けて積載する。
- 運転者は、安全運転を心がける。

第４類の危険物は液体だから、こぼれないように注意するのは基本だよね。

事故事例③

自動車整備工場（一般取扱所）において、自動車の燃料タンクのドレンからガソリンをポリエチレン製の容器に移していたところ、静電気の火花がガソリンの蒸気に引火し、作業者が火傷した。

○事故防止のための正しい対策

- 容器はポリエチレン製でなく、金属製のものを使用し、かつ接地する。
- 作業者が着用する衣類は、帯電しにくい材質のものにする。
- 作業を行う前に散水し、周囲の湿度を高める。

危険物を取り扱う場所は、静電気が蓄積しにくいようにしておく必要があるわ。

事故事例④

移動タンク貯蔵所でガソリンを移送しているときに、タンクからガソリンが漏れているのを発見した。

◎事故が起きた場合の正しい措置

- 安全な場所を選んで、速やかに停車し、エンジンを停止する。
- 土、砂、布などを使用して、流出したガソリンの拡散を防ぐ。
- 消火器を風上側に設置する。
- 消防機関に通報する。

万一事故が起きてしまったときには、事故の範囲が広がらないように努めることが最も重要なのだ！

索　引

本書に関する正誤等の最新情報は、下記のアドレスで確認することができます。
http://www.s-henshu.info/o4kmg2404/

＊上記 URL に掲載されていない箇所で、正誤についてお気づきの場合は、書名・発行日・質問事項（該当ページ・問題番号）・氏名・郵便番号・住所・FAX番号を明記の上、**郵送**または**FAX**でお問い合わせください。
※電話でのお問い合わせはお受けできません。

コンデックス情報研究所
『マンガ＋ゴロ合わせでスピード合格！　乙種第4類危険物取扱者』係
住所　〒359-0042　埼玉県所沢市並木3-1-9
FAX　04-2995-4362（10：00～17：00　土日祝日を除く）
※本書の正誤に関するご質問以外にはお答えできません。また、受験指導などは行っておりません。
※ご質問の到着確認後、10日前後に回答を普通郵便またはFAXで発送いたします。
※ご質問の受付期限は、各試験日の10日前必着分までといたします。

編　著：コンデックス情報研究所
平成2年6月設立。法律・福祉・技術・教育分野において、書籍の企画執筆・編集、大学および通信教育機関との共同教材開発を行っている研究者、実務家、編集者のグループ。
表紙イラスト・マンガ・イラスト：ひらのんさ
イラスト：小林 秀之助
企画編集：成美堂出版編集部

マンガ+ゴロ合わせでスピード合格！ 乙種第4類危険物取扱者

2024年8月1日発行

編　著　コンデックス情報研究所

発行者　深見公子

発行所　成美堂出版
〒162-8445　東京都新宿区新小川町1-7
電話(03)5206-8151　FAX(03)5206-8159

印　刷　大盛印刷株式会社

ISBN978-4-415-23875-3
落丁・乱丁などの不良本はお取り替えします
定価はカバーに表示してあります